Mathematics achievement of high school students

高校生の数学力NOW XVIII

東京理科大学数学教育研究所［編］

2022年
基礎学力調査報告

科学新興新社／フォーラム・A

はじめに

本書は, 2022 年度 (令和 4 年度) に東京理科大学数学教育研究所が実施した理数系高校生のための数学基礎学力調査の報告書である.

東京理科大学は理工系の総合大学として, 中等学校教育に対しては, 主にその教科教育の側面からの貢献が求められている. それに応えるために, 中学・高等学校の現職数学教員と本学教員の数学教育に関する情報交換の場となり, 共同研究を通して教育方法の調査研究および教材の開発や数学の学力調査などを行い, その成果を中等学校等に提供することを目的として, 本学に「数学教育研究所」が 2004（平成 16）年度に設立された.

本研究所では研究事業の一環として, 2005 年度から高校の理数系進学希望者に対して数学の基礎学力調査を実施し, 本年度で 18 回目になる. 調査実施校のご協力により, 18 年間で 43 都道府県延べ 1,343 校の参加校と 93,425 名の生徒のデータを得ることができた.

ここでは, この貴重なデータを今後の高校数学の改善のために有効に利用・活用していただくために公表することとした. それによって, 高校数学への参考・改善資料を提供するとともに, 科学技術教育進展のための基礎的な資料を提供できると考えている. 標本として選ばれた各学校の数学科教員には, 2022 年 9 月下旬から 10 月上旬の間の多忙な時期に調査に協力していただき大変感謝している. 調査結果はなるべく迅速に処理することを心がけ, その結果の一部は 2022 年 11 月下旬に各調査校に送付した.

また, 問題作成にあたっては, 巻末の委員による問題作成・評価委員会を構成して, 高校数学科の科目「数学 Ⅲ」までを履修した生徒を前提として, 基礎的・基本的な問題構成で生徒の学力を測定するための問題作成を依頼した.

本報告書は, それらの結果をもとに調査結果全体から見られる高校生の学力傾向について, データから読み取れる分析を行った結果である.

本書全体のとりまとめは眞田克典が担当し, 第 1 章と第 2 章は眞田克典, 澤田利夫, 渡邉博史によるものである. 第 2.5 章は半田真が行った「仮説検定の考え方」についての教師アンケートの分析結果であり, 第 3 章は眞田克典, 渡邉博史と奥井圭介氏の研究グループの IRT(項目反応理論) による分析結果である. 第 4 章では問題作成・評価委員に指導上の留意点を含め, 各問題と解答, 採点結果についての解説をしていただいた.

最後にコロナ禍の中, この調査に参加された高等学校の校長, 数学科主任, 3 年数学科担当者, そして生徒の皆さんに衷心からお礼と感謝を申し上げたい.

問題作成・評価・分析にあたった委員はもとより, 澤田利夫, 宮岡悦良, 清水克彦, 渡辺雄貴, 大浦弘樹, 下川朝有, 渡邉博史の各位には調査研究の企画運営にご協力いただいた. 厚く感謝を申し上げたい. さらに, 短い期間での出版にご尽力いただいた株式会社フォーラム A 企画（科学新興新社）代表取締役社長 面屋洋氏, 同社顧問 蒔田司郎氏には心から謝意を表する次第である.

2023 年（令和 5 年）9 月吉日

東京理科大学 教育支援機構・理数教育研究センター
数学教育研究所所長　眞田　克典

目　次

第３章　IRT（項目反応理論）による調査結果の分析

第４章　調査問題の解説

（付録）資料

第１章　調査の概要

この調査は, 理数系高校生のための「数学基礎学力調査」として 2022 年 9 月下旬～10 月上旬に東京理科大学数学教育研究所が実施したものである.

1．1　調査の目的

昨今の教育に関する話題の中に，「学力低下」の問題がある．学習指導要領の改定時に必ずと言っていいほど取り上げられるキーワードであるが，最近の教育界では大変深刻な問題である．これに対して，文部科学省では OECD 調査や IEA 調査の国際結果等からその低下傾向を認めながらも，「ゆとり教育」のもとでは児童・生徒の学力は低下していないと反論している．しかし，生徒の数学嫌いは増加したことや学校外での勉強時間が減ったことなどは事実として認識し，その対策に苦慮している．言うまでもなく高等学校の理数教育は，科学技術の基盤を形成するものであり，「科学技術創造立国」を目指す我が国にとってきわめて重要な教育として位置づけられている．しかるに，昨今の教育界では，「学力低下」や「理数離れ」などがマスコミの紙面をにぎわして社会問題になってきたが，理系に進学を希望する高校生の現在の学力を的確に把握する信頼できる資料がない．また，喫緊の問題として，コロナの影響により高校生の学力がどうなったか，も把握すべきである．本研究所では，このたび理数系進学希望者に対して数学の基礎学力調査を実施することにした．そこでは，理数系高校生の学力達成度についてデータを集め，それを公表することによって，これからの科学技術教育進展のための基礎的な資料を提供できると考えた．

1．2　調査対象・時期・方法

調査対象は，高校 3 年生のうち「数学 III」を現在履修している生徒である．高校生が使用する教科書の販売実績で大まかな割合を推定すると，2022 年度の「数学 III」の採択率は 21% である．

(注)　2022 年度に「数学 III」教科書を配布した生徒数は 249.5 千人で，それを 2 年前の必須「数学 I」を配布した生徒数 1,214.6 千人で割った値で推定．

学校抽出にあたっては，東京理科大学広報課が所蔵している高校別入学者数等の資料を参考にした．また学力の経年変化を見るために，過年度に実施している学校にも調査をお願いすることにした．それらを含めて，高校を昨年度の受験者数により3つの層に分け，その中から250校を抽出した．

調査時期（2022年9月下旬から10月上旬）や新型コロナウィルス流行の影響もあり，各学校の都合で参加できないところもあり結局71校が調査に参加していただいた．調査時間は1校時（50分）である．調査問題は高校数学全領域から基礎的・基本的な44問題をA, B, C, Dの4セット（各11題）にして，そのうちの1セットを生徒に与えた．これらの学校には事前に高校3学年の生徒数等の調査を行った．その結果は表1.1の通りであった（71校のうち，生徒数等を教えていただけた学校は65校）．

表1.1　調査校の生徒数

	生徒数（高校３年）			理系生徒数 (数 III 履修者)		
学校種別	男子	女子	合計	男子	女子	合計
男子校（6校）	1,259	-	1,259	594	-	594
女子校（3校）	-	631	631	-	172	172
共学校（56校）	8,782	7,854	16,636	3,812	2,179	5,991
全　体（65校）	10,041	8,485	18,526	4,406	2,351	6,757

調査校において，高校3年生の中で理数系生徒の割合は男子校で1,259人中594人（47%），女子校で631人中172人（27%），共学校で16,636人中5,991人（36%），全体としては36%である．また，男子生徒の中の理数系履修者の割合は44%，女子生徒の中の理数系履修者の割合は28%となっていた．調査校のデータから，理数系生徒の割合は年次別に，次のようになっていた．

2005年度：42校4,660名中，理数系生徒は全体の48%(男子50%，女子24%)
2006年度：46校15,880名中，理数系生徒は全体の38%(男子48%，女子22%)
2007年度：58校18,826名中，理数系生徒は全体の37%(男子45%，女子24%)
2008年度：68校22,660名中，理数系生徒は全体の36%(男子47%，女子21%)
2009年度：45校14,295名中，理数系生徒は全体の34%(男子41%，女子23%)
2010年度：51校15,539名中，理数系生徒は全体の39%(男子49%，女子25%)

2011 年度 : 54 校 17,717 名中, 理数系生徒は全体の 37%(男子 45%, 女子 26%)
2012 年度 : 81 校 23,596 名中, 理数系生徒は全体の 39%(男子 48%, 女子 27%)
2013 年度 : 92 校 25,892 名中, 理数系生徒は全体の 37%(男子 46%, 女子 25%)
2014 年度 : 88 校 25,834 名中, 理数系生徒は全体の 40%(男子 48%, 女子 29%)
2015 年度 : 88 校 27,463 名中, 理数系生徒は全体の 40%(男子 48%, 女子 30%)
2016 年度 : 98 校 30,478 名中, 理数系生徒は全体の 39%(男子 46%, 女子 29%)
2017 年度 : 110 校 34,452 名中, 理数系生徒は全体の 39%(男子 47%, 女子 29%)
2018 年度 : 102 校 29,771 名中, 理数系生徒は全体の 37%(男子 43%, 女子 28%)
2019 年度 : 103 校 31,662 名中, 理数系生徒は全体の 37%(男子 45%, 女子 28%)
2020 年度 : 61 校 18,313 名中, 理数系生徒は全体の 35%(男子 42%, 女子 26%)
2021 年度 : 67 校 20,523 名中, 理数系生徒は全体の 38%(男子 46%, 女子 29%)
2022 年度 : 65 校 18,526 名中, 理数系生徒は全体の 36%(男子 44%, 女子 28%)

教科書販売実績のデータ等では, 約 20% の高校生が数学 Ⅲ を履修していることが分かっているが, 2022 年度の調査対象校では約 36% が理系の生徒となっていて, その意味では理数系の生徒が多い高校での調査であるとみることができる.

調査問題は, 問題作成・問題評価協力者会議での検討の結果, 前年度と同じように 44 題を選択し, それを 11 題ずつ 4 セット (テスト A, B, C, D) で構成した. 調査した学校数や生徒数を問題種別, 男女別に集計したのが, 表 1.2 である.

表 1.2　問題種別, 男女別生徒数

	テスト A	テスト B	テスト C	テスト D	合計
学校数	71	71	71	70	調査校数 : 71
生徒数	1,299	1,300	1,285	1,244	5,128 人
(男子 女子)	(929 370)	(924 376)	(925 360)	(882 362)	(3,660 1,468)

71 校の内訳は, 国立学校 2 校 (183 名), 公立学校 31 校（2,451 名）, 私立学校 38 校（2,494 名）であった. また, 全体 5,128 名のうち, 男子は 3,660 名（71.4%）, 女子は 1,468 名（28.9%）であった.

本年度の調査校を県別にみると

北海道 (1), 宮城 (1), 秋田 (2), 福島 (2), 茨城 (2), 栃木 (3), 群馬 (3),
埼玉 (6), 千葉 (3), 東京 (24), 神奈川 (13), 新潟 (1), 山梨 (1), 長野 (2),
岐阜 (1), 静岡 (3), 広島 (1), 長崎 (1), 大分 (1), 熊本 (1)

の 20 都道府県からの参加であった. ( ) 内の数値は参加校数. 実施校の参加者数の範囲は 3 名〜188 名で, その分布は表 1.3 の通りである.

表 1.3　学校別実施生徒数の分布

人数	20 未満	20〜	40〜	60〜	80〜	100〜	120〜	140〜	合計
学校数	4	14	16	15	4	8	4	6	71

各問題セットでは, 各校の解答者の平均は 72 名程度で, 結果の解釈の上で十分なデータを収集することができた.

調査した問題は資料 I の通りである. 生徒には各問に解答したあとに, 解答に対する自信の程度 (1. 自信がある, 2. あまり自信がない, 3. 全く自信がない) を聞く項目が与えられた. 解答と自信度の関係は, 学力の定着度を探る指標として重要な手がかりとなるものである. 調査に参加する学校や生徒は, 2020 年度はコロナの影響により前年度より減少したが, 2019 年度まで増加傾向であり, その点からもこの調査が全国的に認知されているものと思われる (図 1.1).

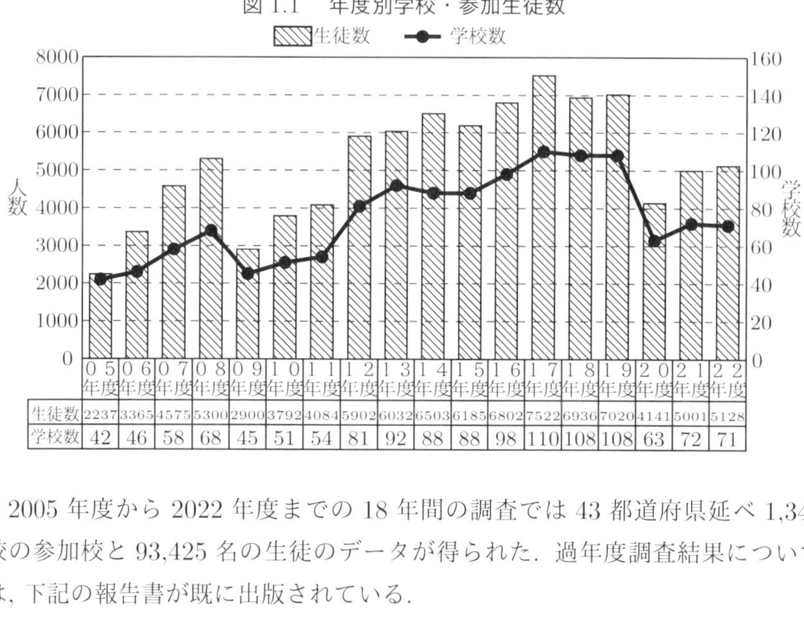

	05年度	06年度	07年度	08年度	09年度	10年度	11年度	12年度	13年度	14年度	15年度	16年度	17年度	18年度	19年度	20年度	21年度	22年度
生徒数	2237	3365	4575	5300	2900	3792	4084	5902	6032	6503	6185	6802	7522	6936	7020	4141	5001	5128
学校数	42	46	58	68	45	51	54	81	92	88	88	98	110	108	108	63	72	71

図 1.1　年度別学校・参加生徒数

2005 年度から 2022 年度までの 18 年間の調査では 43 都道府県延べ 1,343 校の参加校と 93,425 名の生徒のデータが得られた．過年度調査結果については，下記の報告書が既に出版されている．

記

「高校生の数学力 NOW -2005 年基礎学力調査報告」
　東京理科大学数学教育研究所　科学新興新社／フォーラム・A　2006.11.10
「高校生の数学力 NOW II -2006 年基礎学力調査報告」
　東京理科大学数学教育研究所　科学新興新社／フォーラム・A　2007.10.10
「高校生の数学力 NOW III -2007 年基礎学力調査報告」
　東京理科大学数学教育研究所　科学新興新社／フォーラム・A　2008.10.10
「高校生の数学力 NOW IV -2008 年基礎学力調査報告」
　東京理科大学数学教育研究所　科学新興新社／フォーラム・A　2009.10.10
「高校生の数学力 NOW V -2009 年基礎学力調査報告」
　東京理科大学数学教育研究所　科学新興新社／フォーラム・A　2010.10.10
「高校生の数学力 NOW VI -2010 年基礎学力調査報告」
　東京理科大学数学教育研究所　科学新興新社／フォーラム・A　2011.10.10
「高校生の数学力 NOW VII -2011 年基礎学力調査報告」
　東京理科大学数学教育研究所　科学新興新社／フォーラム・A　2012.10.10
「高校生の数学力 NOW VIII -2012 年基礎学力調査報告」
　東京理科大学数学教育研究所　科学新興新社／フォーラム・A　2013.10.10

「高校生の数学力 NOW IX -2013 年基礎学力調査報告」
　東京理科大学数学教育研究所　科学新興新社／フォーラム・A　2014.10.10
「高校生の数学力 NOW X -2014 年基礎学力調査報告」
　東京理科大学数学教育研究所　科学新興新社／フォーラム・A　2015.10.10
「高校生の数学力 NOW XI -2015 年基礎学力調査報告」
　東京理科大学数学教育研究所　科学新興新社／フォーラム・A　2016.10.10
「高校生の数学力 NOW XII -2016 年基礎学力調査報告」
　東京理科大学数学教育研究所　科学新興新社／フォーラム・A　2017.10.10
「高校生の数学力 NOW XIII -2017 年基礎学力調査報告」
　東京理科大学数学教育研究所　科学新興新社／フォーラム・A　2018.10.10
「高校生の数学力 NOW XIV -2018 年基礎学力調査報告」
　東京理科大学数学教育研究所　科学新興新社／フォーラム・A　2019.10.10
「高校生の数学力 NOW XV -2019 年基礎学力調査報告」
　東京理科大学数学教育研究所　科学新興新社／フォーラム・A　2020.10.20
「高校生の数学力 NOW XVI -2020 年基礎学力調査報告」
　東京理科大学数学教育研究所　科学新興新社／フォーラム・A　2021.10.20
「高校生の数学力 NOW XVII -2021 年基礎学力調査報告」
　東京理科大学数学教育研究所　科学新興新社／フォーラム・A　2022.10.20

第２章　調査結果の概要

２．１　調査問題の選定

調査問題は, 高校数学科で履修する内容のうち基礎的・基本的な問題を選択して出題した. 過去の大規模調査で使用した問題の中から, 基礎的・基本的な問題の一部として選んだ. 過去の大規模調査とは, 1980 年度に IEA(International Association for the Evaluation of Educational Achievement：国際教育到達度評価学会) が実施した「SIMS」(Second International Mathematics Study：第２回国際数学教育調査) のことである. これは理数系の高校生を対象とした調査であり, 当時の高校３年生で「数学 Ⅲ」を５単位以上履修している生徒を対象にし, 1980 年 11 月に実施された.

問題の作成にあたっては, いわゆる受験校で数学科の指導に当たっているベテランの高校教師と大学教員に問題作成委員および問題評価委員になっていただいた. こうして選択された候補問題を, 各委員会での検討を経て, 最終的には理系の大学に進学する生徒集団の「期待正答率」として 50%〜90% の問題 11 題を１セットにして数学問題 A, B, C, D の４種類を作成した.

実際に出題された問題の内訳, 問題数 (括弧内) は, つぎの通りである.

数学 I：集合と論理 (1), 三角比 (2), 二次関数 (2), データの分析 (2)
数学 Ⅱ：図形と方程式 (1), 指数・対数関数 (3), 三角関数 (2),
　　　　微分・積分 (3)
数学 Ⅲ：平面上の曲線 (2), 複素数平面 (2), 関数の極限 (2), 微分法 (9),
　　　　積分法 (3)
数学 A：場合の数と確率 (2), 整数の性質 (1)
数学 B：数列 (2), ベクトル (5)

合計　44 題

2.2　得点分布

(1)　標本生徒全体

今回の調査は, 高校数学全領域から基礎的・基本的な問題を選んで実施した. 数学問題 A, B, C, D(以下テスト A, B, C, D とする) の各問題の正答に 1 点を与え, 11 点満点として計算した結果が, 表 2.1 である.

表 2.1　得点分布／生徒全体

種類	テスト A		テスト B		テスト C		テスト D	
得点	人数	%	人数	%	人数	%	人数	%
0	15	1.2	7	0.5	12	0.9	4	0.3
1	48	3.7	14	1.1	26	2.0	18	1.4
2	67	5.2	61	4.7	58	4.5	51	4.1
3	97	7.5	73	5.6	65	5.1	83	6.7
4	126	9.7	115	8.8	111	8.6	124	10.0
5	109	8.4	139	10.7	120	9.3	142	11.4
6	151	11.6	143	11.0	145	11.3	153	12.3
7	168	12.9	161	12.4	155	12.1	161	12.9
8	157	12.1	175	13.5	183	14.2	162	13.0
9	162	12.5	179	13.8	173	13.5	159	12.8
10	122	9.4	164	12.6	159	12.4	115	9.2
11	77	5.9	69	5.3	78	6.1	72	5.8
人数	1,299	100.0	1,300	100.0	1,285	100.0	1,244	100.0
平均	6.5		6.9		6.9		6.7	
標準偏差	2.80		2.59		2.67		2.56	
歪度	−0.28		−0.34		−0.42		−0.20	
尖度	−0.81		−0.75		−0.63		−0.78	

(注) 有意水準 5% で平均値の有意差検定の結果, A が他のテストに比べ低く, 他の間には有意差なし.

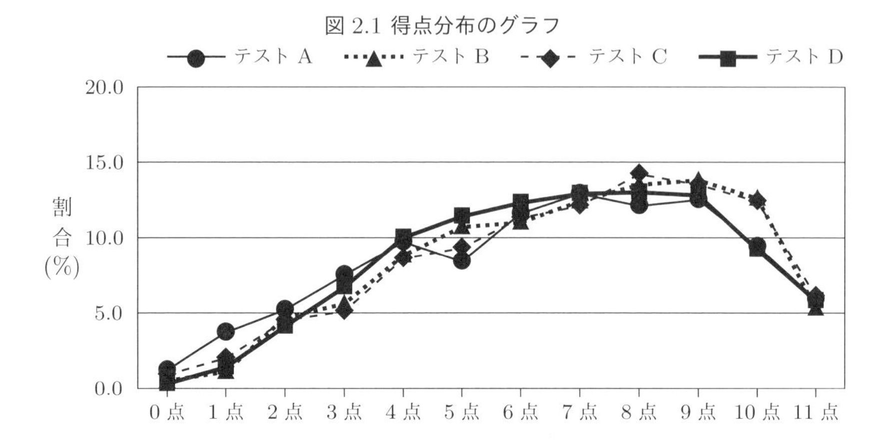

表 2.1 から平均値の有意差検定 (両側検定で有意水準 5%, 以下同様) の結果, テスト A が他のテストに比べて低かったが, 他のテストの間では有意差がなかった.

(2)　成績の男女差

IEA などの国際調査結果でみると, 多くの国で数学の成績に男女の違いが出てくるのは中学校段階以降であると言われる. 今回の調査は, 理数系高校生について調べたもので, 将来大学などの理系学部に進学を希望する集団での調査と見ることもできる. このような集団で基礎的・基本的な数学能力に男女差があるかどうかを検証することを試みた. 表 2.2 は男女別の得点分布 (%), 平均成績などの統計量である.

平均値の差の検定では, テスト A, B, C は男子の成績が女子の成績よりよい結果となった. D は男女間に有意差はなかった.

過去の調査結果では, 05 年度, 06 年度の両調査では各テストとも男女の成績の間に有意差はなかったが, 07 年度ではテスト A のみ女子の成績が男子の成績より良く, 08 年度ではテスト D のみ男子の成績が女子の成績より良かった. 09 年度ではテスト A のみ男子の成績が女子の成績より良かった. 10 年度ではテスト A と B は男子の成績が良く, 11 年度はテスト A と C, 12 年度はテスト

AとBが男子の成績が女子の成績より良かった．13年度は全てのセットで男子の成績が女子の成績より良かったが，14年度はテストA, B, Dで男子の成績が良く，テストCだけ男女に有意差は認められなかった．15年度では，テストBとDは男子の成績が良く，テストAとCには男女の成績に有意差がなかった．16年度では，テストDに男女の平均成績に有意差がみられなかったが，テストA, B, Cで男子の成績が女子の成績より良かった．17〜19年度では，テストA, B, C, Dの全てのテストで男子の成績が女子の成績より良かった．20年度では，テストA, B, Dで男子の成績が女子の成績より良かった．21年度では，テストAとテストCは男子の成績が女子の成績より良かった．

表2.2　男女別得点度数分布(%)，平均成績等の統計量

	テストA		テストB		テストC		テストD	
得点	男子	女子	男子	女子	男子	女子	男子	女子
0〜1点	5.0	4.6	1.2	2.7	2.7	3.6	1.8	1.7
2〜3点	11.3	15.9	9.3	12.8	9.0	11.1	12.1	7.5
4〜5点	16.1	23.0	18.0	23.4	17.0	20.6	19.6	25.7
6〜7点	25.5	22.2	23.2	23.9	23.4	23.3	23.6	29.3
8〜9点	25.0	23.5	29.3	22.1	27.4	28.6	25.7	26.0
10〜11点	17.1	10.8	19.0	15.2	20.6	12.8	17.1	9.9
人　数	929	370	924	376	925	360	882	362
平　均	6.6	6.0	7.0	6.4	7.0	6.5	6.7	6.5
標準偏差	2.82	2.71	2.54	2.66	2.67	2.64	2.65	2.31
t 値	3.71（男）		4.02（男）		3.09（男）		1.53	

(注) 表中の t 値は $t=(m_1-m_2)/\sqrt{s_1^2/n_1+s_2^2/n_2}$．ただし，添え字の1は男子，2は女子を表し，$m_1, m_2$ は平均値，n_1, n_2 は標本数，s_1, s_2 は標準偏差として計算した．括弧内は5%有意水準で平均値の差の検定（t-検定）の結果，有意に高い性別を表す（$|t|>1.96$ 有意差あり）．

(3)　学校平均の分布

資料Ⅲをもとに，学校ごとに平均点(11点満点)を算出して分布を求めると，表2.3のようになる．なお，学校ごとの分析のための統計量として，参加生徒数12人以下の学校2校(私立2校)は，この分析から除外した．

表 2.3 学校平均得点の分布

学校平均	テスト A	テスト B	テスト C	テスト D
2 点未満	0	0	0	0
2 点〜	2	0	0	0
3 点〜	3	1	1	3
4 点〜	6	7	7	7
5 点〜	21	13	15	16
6 点〜	6	13	14	13
7 点〜	18	22	14	16
8 点〜	12	9	15	12
9 点〜	1	4	3	2
10 点〜11 点	0	0	0	0
学校数	69	69	69	69
平 均	6.35	6.77	6.74	6.60
標準偏差	1.67	1.40	1.43	1.46
歪 度	−0.37	−0.10	−0.07	−0.12
尖 度	−0.62	−0.79	−0.95	−0.61

表 2.3 の学校平均の得点分布から, 平均値の有意差検定の結果, どの平均値の間にも有意差は認められなかった.

分布の対称性を表す歪度（平均付近での分布の左右対称性）は全て負であるため, 分布は右に偏っている. また, 分布の尖り具合を表す尖度（正規分布と比較して, 正ならより尖った形の分布, 負なら扁平な形の分布を表す数値）も全て負であるため, 正規分布より扁平な分布であることを示している.

分布は, テスト B では 7 点以上 8 点未満で最大となる単峰性であるが, テスト A と D では 5 点以上 6 点未満と 7 点以上 8 点未満で, テスト C では 5 点以上 6 点未満と 8 点以上 9 点未満で極大となる二峰性となった (図 2.2).

図 2.2　学校平均得点の分布

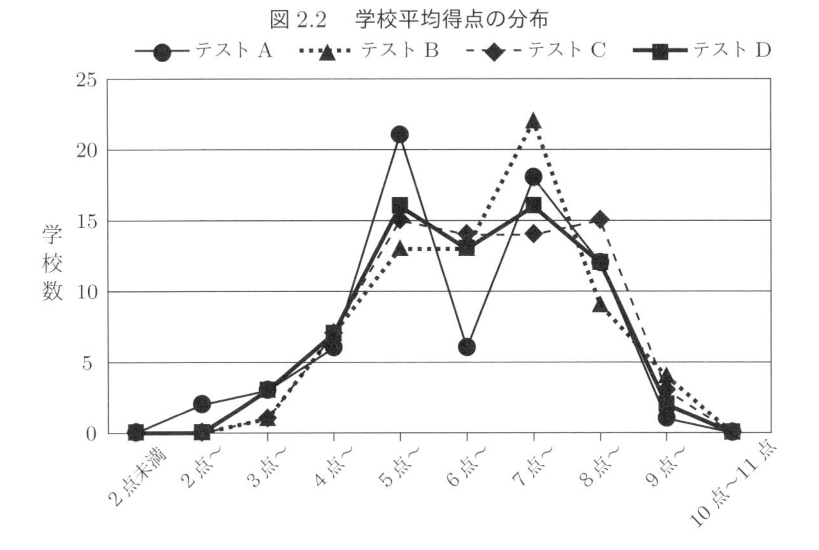

２．３　問題別成績

(1)　各問正答率

資料 II をもとに各問正答率を大きい順に並べ替えてグラフにしたのが図 2.3 である.

グラフの中で, 斜線の横棒が各テストの中の記述式問題 9, 10, 11 の成績のいずれかであり, その他の問題 1〜8 は選択式問題の成績である. なお, 記述式問題の正答率は準正答を含めた値とし, 過年度とも比較可能になるようにした. 全体平均は 61.0% である.

全体 44 題のうち正答率が 80% 以上の問題は, D1(集合と論理)92.8%, C1（積分法）88.9%, A1（数列）85.1%, B2（微分・積分）82.9%, B1（指数・対数関数）82.8%, D2（複素数平面）80.6%, A2（三角比）80.1% の 7 題ですべて選択式問題である.

一方, 成績がふるわなかった正答率が 30% 以下の問題は, D10（微分法）26.2%, A9（データの分析）29.5% の 2 題でいずれも記述式問題であった.

図 2.3　問題別正答率のグラフ
白：選択肢式, 斜線：記述式, 黒：平均

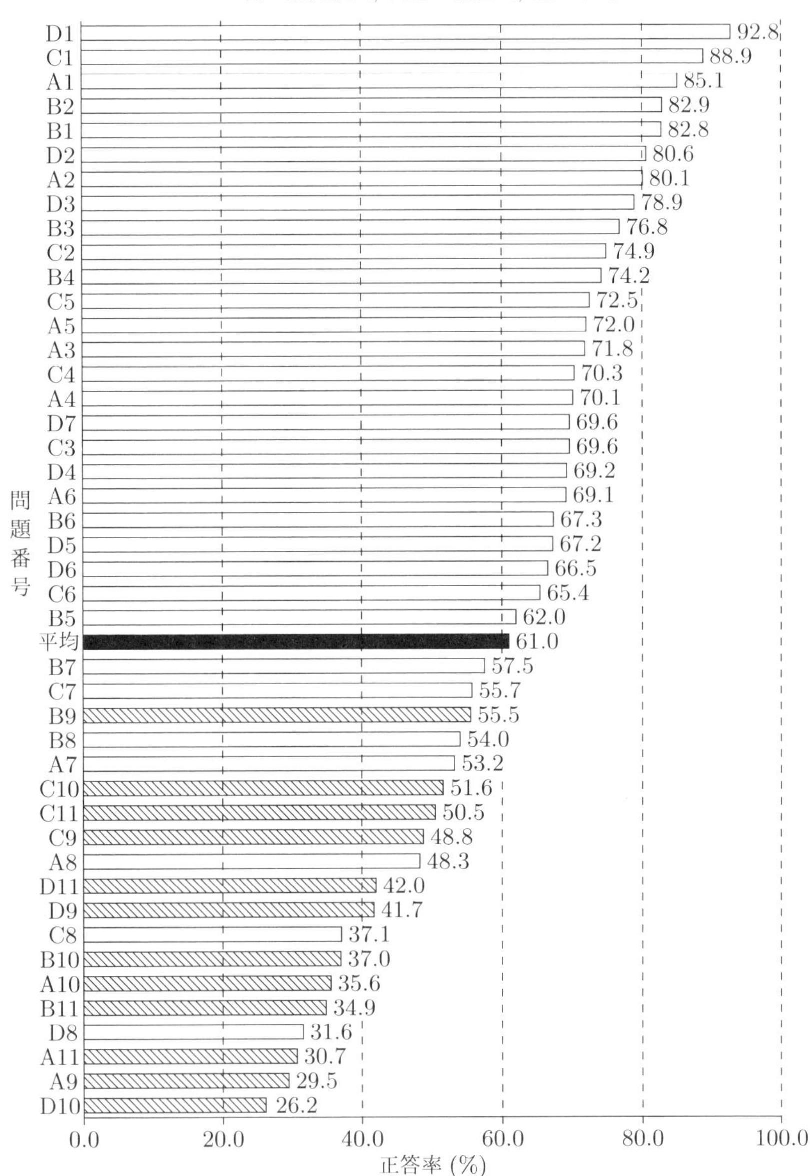

資料Ⅱから, 無答率が20%以上の問題はA9（データの分析）31.2%, D11（ベクトル）20.7%, B10（場合の数と確率）20.1%の3題である. また誤答率が60%以上に達した問題は, D8（指数・対数関数）, C8（整数の性質）, D10（微分法）の3題で, 生徒にとって難しい問題であった. D8は誤答率が66.7%と最も高く, 正答率は31.6%で選択式問題の中で最も低い. その問題は

> D8　x, y は正の実数で, $y = 4x^3$ とします. $\log y$ を x 座標, $\log x$ を y 座標とする点の集合は, つぎのどれになりますか.
> (ア)1点　(イ) 3次曲線　(ウ) 放物線　(エ) 直線
> (オ) 指数関数の表す曲線

であり, 各選択肢への反応率は, （ア）2.9%, （イ）13.6%, （ウ）20.4%, （エ）31.6%（正答）, （オ）29.8%であった.

この問題の反応率を年次別にみると,

22年度：(ア)2.9%, (イ)13.6%, (ウ)20.4%, (エ)31.6%(正答), (オ)29.8%
21年度：(ア)3.9%, (イ)13.6%, (ウ)17.3%, (エ)34.3%(正答), (オ)29.9%
20年度：(ア)2.0%, (イ)13.6%, (ウ)19.6%, (エ)35.8%(正答), (オ)26.2%
19年度：(ア)3.4%, (イ)16.5%, (ウ)15.8%, (エ)32.2%(正答), (オ)30.7%
18年度：(ア)3.2%, (イ)14.6%, (ウ)18.6%, (エ)35.1%(正答), (オ)27.1%
17年度：(ア)3.9%, (イ)11.7%, (ウ)17.0%, (エ)33.7%(正答), (オ)31.9%
16年度：(ア)2.8%, (イ)14.6%, (ウ)17.7%, (エ)28.1%(正答), (オ)34.8%
15年度：(ア)3.0%, (イ)15.1%, (ウ)18.9%, (エ)29.1%(正答), (オ)31.7%
14年度：(ア)3.6%, (イ)14.0%, (ウ)20.0%, (エ)31.8%(正答), (オ)28.2%
13年度：(ア)3.9%, (イ)15.2%, (ウ)20.9%, (エ)29.0%(正答), (オ)28.3%
12年度：(ア)3.7%, (イ)16.3%, (ウ)20.2%, (エ)29.4%(正答), (オ)28.3%
11年度：(ア)4.2%, (イ)19.0%, (ウ)17.7%, (エ)26.1%(正答), (オ)30.5%

となっていて, 各年度とも同じような反応傾向を示していた.

また, 全体44題の平均正答率は61.0%で, 21年度は60.2%, 20年度は60.0%, 19年度は58.1%, 18年度は58.6%, 17年度は57.1%, 16年度は56.8%,

15 年度は 56.1%, 14 年度は 55.7%, 13 年度は 53.1%, 12 年度は 55.2%, 11 年度は 55.9%, 10 年度は 56.3%, 09 年度は 58.0%, 08 年度は 56.9%, 07 年度は 54.6%, 06 年度は 57.4% で, 平均正答率が 50〜60% になるようにという当初からの予想を若干上回った.

(2)　男女別正答率

問題別に男子, 女子の正答率を比較したのが, 表 2.4 である.

表 2.4　男女別問題別正答率 (%)

問題番号	テスト A		テスト B		テスト C		テスト D	
	男子	女子	男子	女子	男子	女子	男子	女子
1	86.9*	80.8	83.1	82.2	89.6	86.9	92.2	94.5
2	80.9	77.8	83.4	81.6	75.2	73.9	79.0	84.5*
3	72.1	71.1	79.2*	71.0	71.2*	65.3	78.9	78.7
4	72.4*	64.3	74.6	73.1	72.0*	65.8	68.9	69.9
5	75.7*	62.7	64.7*	55.3	75.4*	65.3	68.7	63.5
6	72.1*	61.6	69.7*	61.4	65.1	66.1	67.6	63.8
7	54.1	50.8	61.7*	47.3	56.2	54.4	69.5	69.9
8	47.7	49,7	54.5	52.7	39.4*	31.4	33.6*	26.8
9	29.9	28.4	57.5*	50.5	48.5	49.4	43.1	38.4
10	38.6*	27.8	37.0	37.0	54.5*	44.2	28.9*	19.6
11	32.7*	25.7	38.2*	26.9	52.3*	45.8	42.6	40.3
平均	60.3	54.6	64.0*	58.1	63.6	59.0	61.2	59.1
人数	929	370	924	376	925	360	882	362

(注) ∗印：正答率の差の検定結果. 有意水準 5% で両者の間に有意差ありの問題.
計算式 $t = (m_1 - m_2)/\sqrt{m_1(100 - m_1)/n_1 + m_2(100 - m_2)/n_2}$ (ただし, 添え字の 1 を男子, 2 を女子として, m_1, m_2 は正答率 (%), n_1, n_2 は標本数) により, $|t| > 1.96$ で有意差あり.

その中で男女の正答率に差が認められた問題は, A1, A4, A5, A6, A10, A11, B3, B5, B6, B7, B9, B11, C3, C4, C5, C8, C10, C11, D2, D8, D10 の 21 問

で, これらのうち D2 のみが女子のほうが有意に高く, 他 20 問は男子のほうが高かった. その他の 23 問には, 男女の成績に有意差は見られなかった.

各テスト別の平均値の差の検定では, テスト B で男子の平均値が女子の平均値より有意に高かった. その他のテストの平均値の間には男女の有意差がなかった.

1980 年度実施の SIMS(第 2 回国際数学教育調査) の理数系高校 3 年生の男女別成績の有意差検定では, 136 題中 81 題は男子の成績が女子の成績より良く, 残りの 55 題は男女の成績に有意差が認められなかった. 2005 年度文科省の教育課程実施状況調査では, 高校 3 年生が対象で, 「数学 I」 36 題の平均正答率が男子 53.7%, 女子 47.2% で男女間の成績に有意差が認められていた. 上の両調査では高校 3 年生の数学成績に男女差があることがわかっていた.

表 2.5 に本基礎学力調査の年度ごとの有意差検定の結果をまとめた.

表 2.5　年次別問題別有意差検定の結果

年度	問題数	男子が上	男女差なし	女子が上
05 年度調査	40 題	2 (5 %)	38 (95 %)	0 (0 %)
06 年度調査	44 題	8 (18 %)	35 (80 %)	1 (2 %)
07 年度調査	44 題	0 (0 %)	33 (75 %)	11 (25 %)
08 年度調査	44 題	12 (27 %)	29 (66 %)	3 (7 %)
09 年度調査	44 題	9 (20 %)	34 (79 %)	1 (2 %)
10 年度調査	44 題	8 (18 %)	36 (82 %)	0 (0 %)
11 年度調査	44 題	6 (14 %)	38 (86 %)	0 (0 %)
12 年度調査	44 題	11 (25 %)	33 (75 %)	0 (0 %)
13 年度調査	44 題	23 (52 %)	21 (48 %)	0 (0 %)
14 年度調査	44 題	21 (48 %)	23 (52 %)	0 (0 %)
15 年度調査	44 題	14 (32 %)	30 (68 %)	0 (0 %)
16 年度調査	44 題	24 (55 %)	18 (41 %)	2 (4 %)
17 年度調査	44 題	14 (32 %)	30 (68 %)	0 (0 %)
18 年度調査	44 題	18 (41 %)	26 (59 %)	0 (0 %)
19 年度調査	44 題	14 (32 %)	30 (68 %)	0 (0 %)
20 年度調査	44 題	14 (32 %)	29 (66 %)	1 (2 %)
21 年度調査	44 題	8 (18 %)	36 (82 %)	0 (0 %)
22 年度調査	44 題	20 (46 %)	23 (52 %)	1 (2 %)

18 か年の延べ全体 788 題中では男子の成績が女子より上が 226 題 (28.7%),

女子の成績が男子より上が20題（2.5%），男女差なしが542題（68.8%）であり，年次別な違いがあるものの全体的に男女の成績の間に有意差がない問題が多かったと言えよう．

(3)　学校間・問題別成績

各問題の正答率を学校別に算出し，その成績分布を調べた結果が資料 III である．参加生徒数が12人以下の学校2校を除く69校について問題別に統計量を算出した．

この分布から学校平均で75%以上の好成績を上げた問題は，A1, A2, B1, B2, B3, C1, D1, D2, D3の9題であった．

逆に，学校平均が30%未満の問題は，A9(28.3%), A11(29.9%), D10(24.0%)の3題でいずれも記述式問題であり，誤答が多い問題はA9(5校), A11(5校), D10(11校)の3題であった．

学校間で成績の開きが大きい問題を，資料 III をもとに作成したのが表2.6である．

表2.6　学校間で正答率にばらつきの大きい問題

成績	A4	A5	A6	B5	B8	B9	B11	C4	C9	C11	D5	D9	D11
0%	0	0	0	1	0	1	4	0	1	1	0	3	3
0～	0	0	0	0	1	0	3	1	2	0	0	5	3
10～	1	1	2	1	3	3	14	0	3	3	1	5	5
20～	4	3	4	6	6	7	11	2	8	10	3	8	17
30～	4	2	3	2	5	9	15	3	11	14	9	8	10
40～	4	2	7	6	12	4	4	3	8	7	2	13	7
50～	10	11	12	14	12	11	7	14	13	9	11	12	7
60～	8	16	5	14	13	16	5	8	12	8	10	10	9
70～	11	4	11	11	7	12	3	14	8	10	12	3	5
80～	13	12	12	7	8	5	3	11	3	4	9	1	2
90～	8	14	9	3	0	0	0	8	0	0	5	0	0
100%	6	4	4	4	2	1	0	5	0	3	7	1	1
学校数	69	69	69	69	69	69	69	69	69	69	69	69	69
平均	68.9	71.3	67.2	61.5	54.0	54.4	34.2	69.8	48.2	49.3	66.2	41.0	40.2
標準偏差	22.09	21.20	22.90	21.89	20.52	20.89	21.68	20.26	20.80	23.12	22.82	21.50	23.21
最小値	12.5	10.3	14.3	0.0	9.1	0.0	0.0	6.7	0.0	0.0	12.5	0.0	0.0
最大値	100.0	100.0	100.0	100.0	100.0	100.0	80.0	100.0	85.7	100.0	100.0	100.0	100.0

学校間で成績のばらつきが大きかった問題は，A4, A5, A6, B5, B8, B9,

B11, C4, C9, C11, D5, D9, D11 の 13 題で標準偏差が 20〜24% の間であった. 記述式問題 (B9, B11, C9, C11, D9, D11) 以外は, 学校平均が 54〜72% の間であり比較的易しい問題であり, 基本的な問題である. 学校間でこれほどの開きがあることに課題が残る.

(4)　自信度と正答率

生徒が解答後にその解答に対する自信の程度を三肢 (1. 解答に自信あり, 2. 解答にあまり自信なし, 3. 解答に全く自信なし) の中から選択して答えてもらった. 正答して, その解答に自信があることが望ましい. 資料 II の中に正答率とその自信率 (受験者の中で正答でかつ自信ありと答えた生徒の割合 %) が示されている.

正答者のうち自信ありと答えた生徒の割合 (自信率/正答率) を正答者の自信度として表し, それを分類したのが表 2.7 である. A1 では正答率が 85.1%, 自信率が 66.7% であるから, 正答者の自信度は 66.7% ÷ 85.1% = 0.784 となるので, 表 2.7 の正答率 80% 以上, 自信度 0.7 以上に分類される. この値（自信度）が 1.0 なら正答者のすべてが自信ありと答え, 0.5 なら半数の生徒が自信ありと答えたことを示す数値である.

表 2.7　正答率と自信度

正答率	自信度=自信率／正答率			
	0.30 未満	0.30〜	0.50〜	0.70 以上
40% 未満	B10	A10, A11, B11, C8, D8, D10	A9	
40%〜		A8, B9, C10, C11, D9, D11	A7, B7, B8, C7, C9	
60%〜		B5, D6, D7	A3, A5, A6, B3, B4, B6, C3, C4, C5, C6, D5	A4, C2, D3, D4
80% 以上				A1, A2, B1, B2, C1, D1, D2

正答の自信度が 0.3 にも満たなかった問題は B10 であり, この問題には正答であっても多くの生徒が自信のない解答をしていたことを示している. 反対に,

自信度が 0.7 以上の問題は, A1, A2, A4, B1, B2, C1, C2, D1, D2, D3, D4 の 11 題で, A4, C2, D3, D4 以外は正答率が 80% 以上の易しい問題であった.

自信度が低い例としての問題 B10（場合の数と確率）は, 17 年度から 22 年度まで共通に出題されていた. その問題は次の通りである.

> B10 「2 つの事象が事象が互いに排反である」とは何か, 具体例を用いて説明しなさい.

その正答率, 自信率と正答者の自信度は,

17 年度：正答率 35.1%,自信率 8.9%, 正答者の自信度 0.25
18 年度：正答率 35.2%,自信率 8.6%, 正答者の自信度 0.24
19 年度：正答率 30.3%,自信率 9.3%, 正答者の自信度 0.31
20 年度：正答率 29.8%,自信率 9.9%, 正答者の自信度 0.33
21 年度：正答率 31.8%,自信率 7.9%, 正答者の自信度 0.25
22 年度：正答率 37.0%,自信率 9.2%, 正答者の自信度 0.25

となっており, いずれの年度でも自信度が低く表れた問題であった.

自信度の高い問題（自信度 0.7 以上）は 11 題, 自信度の低い問題（自信度 0.4 未満）は 10 題あり, そのうち 3 つずつをグラフにし, 図 2.4, 図 2.5 に示す.

自信度が一番高い問題は, C1(数 III, 積分法) で, 正答率 88.9% のうち 72.2% が自信ある解答であった. 一方, 自信度が一番低い問題は B10(数 A, 場合の数と確率) で, 正答率 37.0% のうち 9.2% しか自信ある解答が得られなかった.

また, 資料 II から誤答率が高い問題を取り上げてみる. 例えば誤答率が 40% 以上の問題は, A7, A8, A10, A11, B7, B8, B10, B11, C7, C8, C9, C10, D8, D9, D10 の 15 題で, そのうち A10（数 II, 三角関数）, A11（数 B, ベクトル）, B11（数 B, ベクトル）, C8（数 A, 整数の性質）, D8（数 II, 指数・対数関数）, D9（数 III, 関数の極限）, D10（数 III, 積分法）の 7 題は誤答率が 50% 以上の問題であった. 誤答率を減らす工夫が一層望まれる.

図 2.4　自信度の高い問題

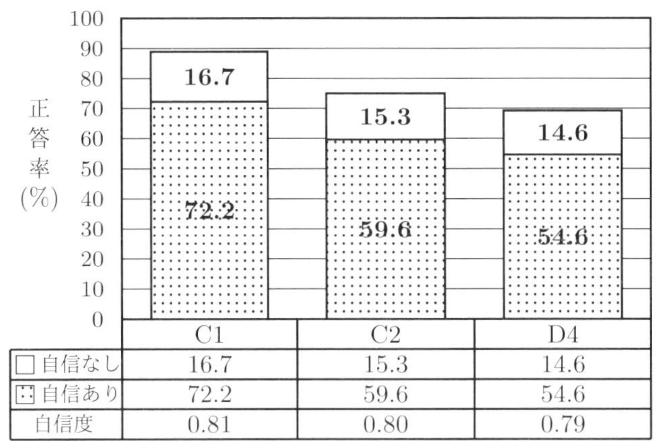

	C1	C2	D4
□ 自信なし	16.7	15.3	14.6
⁙ 自信あり	72.2	59.6	54.6
自信度	0.81	0.80	0.79

図 2.5　自信度の低い問題

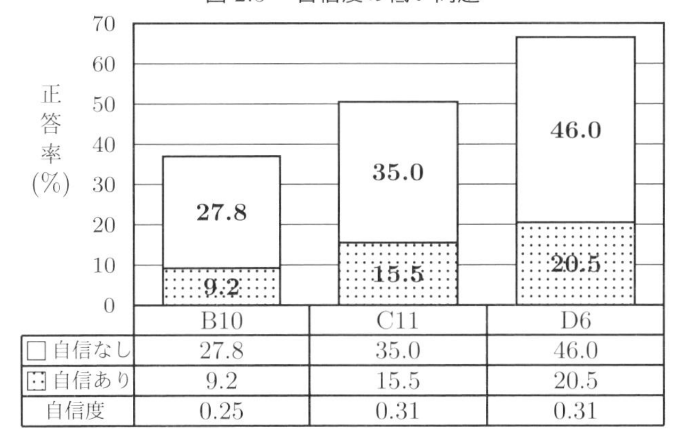

	B10	C11	D6
□ 自信なし	27.8	35.0	46.0
⁙ 自信あり	9.2	15.5	20.5
自信度	0.25	0.31	0.31

(5)　期待正答率と教師の評価

問題作成後に問題作成・問題評価委員会合同会議で対象生徒の到達度を推定し, 各問題の予想正答率を策定した. それが「期待正答率」である. さらに, 実施校の数学科担当の先生には, 実施クラスの実態をふまえて予想正答率を 1 (0〜20% 未満), 2 (20〜40% 未満), 3 (40〜60% 未満), 4 (60〜80% 未満), 5 (80〜100%) の 5 段階で回答していただいた. 各校の回答の平均点 x を変換

$(20 \times x - 10)$ した値 (%) を「教師の評価」として求め, それを期待正答率とともに表 2.8 に表した. 回答した教師の数は, テスト A が 123 名, テスト B が 121 名, テスト C と D が 122 名であった.

期待正答率と教師評価の値に開きが少ない問題 (差が 10% 以内) は, A7（積分法）, C10（指数・対数関数）の 2 題である. これらは期待される正答の割合と教師評価が一致した問題と言える.

反対に, 大きなずれがあった問題（30% 以上）は, A8（図形と方程式）, A9（データの分析）, B4（二次関数）, B10（場合の数と確率）, B11（ベクトル）, C4（関数の極限）, C6（微分法）, C7（微分・積分）, C11（ベクトル）, D5（積分法）, D6（微分法）, D7（データの分析）, D11（ベクトル）の 13 題である.

期待正答率と教師の評価との差が 20% 以上の問題は 34 題あり, 問題に対する期待正答率と教師の評価のずれが大きいことがわかる.

表 2.8　期待正答率と教師の評価 (%)

種類	テスト A		テスト B		テスト C		テスト D	
問題	期待正答率	教師評価	期待正答率	教師評価	期待正答率	教師評価	期待正答率	教師評価
1	90	64.3	85	66.2	90	69.5	90	66.1
2	90	68.2	90	75.3	85	65.9	80	65.4
3	75	49.7	80	52.8	80	51.0	90	64.9
4	80	58.5	85	50.8	90	55.6	75	63.0
5	80	53.4	60	34.5	85	56.4	80	47.4
6	80	56.7	85	61.4	85	44.9	80	40.8
7	50	44.1	80	51.8	75	42.1	80	38.7
8	75	37.6	70	44.7	50	32.1	60	34.8
9	70	29.2	60	33.1	70	53.6	50	35.9
10	70	40.2	70	36.8	50	45.7	50	22.5
11	70	43.8	80	45.2	70	39.5	80	47.0
平均	75.5	49.6	76.8	50.2	75.5	50.6	74.1	47.9

(6)　正答率と期待正答率

つぎに, 正答率と期待正答率とを比較したのが表 2.9 である.

表 2.9　期待正答率と生徒の正答率の比較

テスト	期待正答率との比較 (正答率 − 期待正答率)			
	大いに下回るもの (−20% 以下)	下回るもの (−20%〜−10%)	同程度のもの (−10%〜10%)	上回るもの (10% 以上)
テスト A	A8, A9, A10, A11	A6	A1, A2, A3, A4, A5, A7	
テスト B	B7, B10, B11	B4, B6, B8	B1, B2, B3, B5, B9	
テスト C	C9	C2, C3, C4, C5, C6, C7, C8, C11	C1, C10	
テスト D	D8, D10, D11	D3, D5, D6, D7	D1, D2, D4, D9	

例えば, A1(数列) は正答率が 85.1%, 期待正答率が 90% で, その差は −4.9% である. この表では差が ±10% 以内であるから「同程度のもの」に, A6（微分法）は正答率が 69.1%, 期待正答率が 80% で, その差は −10.9% であるから「下回るもの」に, A8（図形と方程式）は正答率が 48.3%, 期待正答率が 75% で, その差は −26.7% であるから「大いに下回るもの」のように分類してみた.

正答率が期待正答率より 10% 以上「上回っている」問題はなく, 「同程度のもの」は A1, A2, A3, A4, A5, A7, B1, B2, B3, B5, B9, C1, C10, D1, D2, D4, D9 の 17 題である. また, 期待正答率が実際の正答率より 20% 以上差のある「大いに下回る」問題は 11 題あり, そのうち差が 30% 以上のものは A9, A10, A11, B10, B11, D11 の 6 題であり, これらは期待正答率より大幅に正答率が下回っていた.

(7)　正答率と教師の評価

クラスの生徒の実態を把握している教師の評価点はどうだろうか.

その評価 (%) は, 実際の生徒の正答率に近いのではないかと思われる. 表 2.10 は, 生徒の正答率と教師の評価 (%) を比較して表にしたものである.

表 2.10　教師の評価と生徒の正答率の比較

テスト	教師評価との比較 (正答率 − 教師評価)				
	大いに下回るもの (−20% 以下)	下回るもの (−20%〜−10%)	同程度のもの (−10%〜10%)	上回るもの (10%〜20%)	大いに上回るもの (20% 以上)
テスト A		A11	A7, A9, A10	A2, A4, A5, A6, A8	A1, A3
テスト B		B11	B2, B6, B7, B8, B10	B1	B3, B4, B5, B9
テスト C			C2, C8, C9, C10	C1, C3, C4, C5, C7, C11	C6
テスト D			D4, D8, D9, D10, D11	D2, D3, D5	D1, D6, D7

生徒の成績と教師評価の間に差のない問題である「同程度なもの」は 17 題（全体の 39%），生徒の成績が勝っていた問題は 25 題（全体の 57 %），その中でも A1, A3, B3, B4, B5, B9, C6, D1, D6, D7 の 10 題の正答率は，その差が 20% 以上で教師評価より大いに上回っていた．また，正答率が教師評価を下回っていた問題は A11 と B11 の 2 題であった．

2．4　過去の調査結果との比較

過去の調査問題の成績と比較して，22 年度の結果を同一校で比較検討することがこの調査の目的の一つでもある．

2.4.1　共通問題による成績比較

22 年度の調査校のうち，過年度でも本調査に参加している学校がある．22 年度と同一校の過年度データであれば，各学校の学力は一定で安定したデータが得られるという仮説から，同一校共通問題による分析を試みた．

(1)　22〜21 年度共通問題の比較

22 年度の調査問題の中の 43 題は 21 年度にも出題されていた．その共通問題による同一校 50 校の成績の比較検討を行った．

その同一 50 校の生徒数は,

22 年度：3,748 名（A：948 名, B：946 名, C：934 名, D：920 名）

21 年度：3,734 名（A：949 名, B：948 名, C：937 名, D：900 名）

であった.

各年度の問題と正答率を同一校で比較した結果が表 2.11 である.

同一 50 校の両年度の問題別成績の比較をすると, 統計的有意差検定の結果（平均値の差の検定）で 22 年度の成績が 21 年度より良かった問題は, 22 年度の問題番号で表すと B3, B4, B9, B10, C10 の 5 題である. 反対に 22 年度の成績が 21 年度の成績より悪かった問題は, A10, B5 の 2 題である. 他の 36 題は, 両調査の成績に有意差が認められなかった.

表 2.11　同一問題の正答率 (%)(22 年度 vs.21 年度同一校 50 校 43 題)

問題	22 年度	21 年度	問題	22 年度	21 年度	問題	22 年度	21 年度
A1	84.3	84.1	B5	61.8	70.2*	C9	50.4	53.3
A2	80.4	81.6	B6	67.3	65.8	C10	51.2*	11.7
A3	70.6	71.4	B7	58.2	56.9	C11	52.1	55.6
A4	70.6	71.3	B8	53.4	49.9	D1	93.6	93.9
A5	73.0	73.3	B9	56.1*	40.4	D2	81.3	78.8
A6	68.6	68.6	B10	39.3*	31.6	D3	78.6	80.7
A7	52.7	52.6	B11	35.1	39.4	D4	70.1	69.8
A8	47.9	50.4	C1	88.3	90.1	D5	67.1	69.7
A9	29.0	38.0	C2	74.0	76.4	D6	65.7	65.7
A10	34.8	38.1*	C3	69.9	69.2	D7	69.5	65.3
A11	30.8	31.4	C4	69.6	71.8	D8	30.7	34.4
B1	83.0	81.3	C5	74.4	70.4	D9	41.2	42.2
B2	83.1	81.1	C6	66.0	67.0	D11	41.0	40.5
B3	77.0*	71.2	C7	56.5	58.8			
B4	76.0*	70.9	C8	37.0	36.1	平均	61.9	61.0

(注) *印は 22 年度と 21 年度との比較で成績が統計的に有意に高いことを示す.
問題 9～11 は準正答も正答率に含めた.

下記は, 統計的な有意差検定の結果で, 21 年度の成績と比較して整理したものである.

22 年度の成績が	良くなった	変わらない	悪くなった
21 年度の成績より	5 題（12%）	36 題（83%）	2 題（5%）

また, 43 題の平均成績では 22 年度 61.9%, 21 年度 61.0% で, 両平均成績の間には統計的な有意差はなかった.

(2)　22〜18 年度共通問題の比較

つぎに, 22 年度調査校のうちの 25 校は過去 5 年間 (22 年度〜18 年度) 継続して本学力調査に参加していた. これらの高校で 5 年間の共通 36 題の正答率を年度別に再計算して問題ごとの成績を比較した.

その同一 25 校の生徒数は以下の通りである.

22 年度 : 1,726 名 (A : 431 名, B : 438 名, C : 438 名, D : 419 名)
21 年度 : 1,709 名 (A : 438 名, B : 440 名, C : 421 名, D : 410 名)
20 年度 : 1,471 名 (A : 372 名, B : 376 名, C : 368 名, D : 355 名)
19 年度 : 1,639 名 (A : 414 名, B : 409 名, C : 409 名, D : 407 名)
18 年度 : 1,686 名 (A : 433 名, B : 433 名, C : 416 名, D : 404 名)

表 2.12 は, 成績の推移を調べる目的で, 22 年度の成績と過年度 (21〜18 年度) の成績との差によって, その推移を示した表である. 例えば, 問題 A4 の 22 年度の成績は 71.9% で, 21 年度の成績 (72.9%) との差は −1.0%, 20 年度との差は 4.5%, 19 年度との差は −6.1%, 18 年度との差は 3.1% であった. 有意差検定の結果, 22 年度と 19 年度には有意差が認められた.

統計的な有意差検定の結果で 22 年度の成績と比較して整理すると,

22 年度の成績が	良くなった	変わらない	悪くなった
21 年度より	3 題（8%）	32 題（89%）	1 題（3%）
20 年度より	4 題（11%）	30 題（83%）	2 題（6%）
19 年度より	5 題（14%）	30 題（83%）	1 題（3%）
18 年度より	4 題（11%）	31 題（86%）	1 題（3%）

であった. この表から分かるように, 22 年度の成績と比較して 83%〜89% の問題が過年度との成績に変化がなかった.

表 2.12　同一校共通問題の成績比較 (22〜18 年度共通 36 題)

問題	22 年	21 年	20 年	19 年	18 年	問題	22 年	21 年	20 年	19 年	18 年
A1	85.8	1.5	2.2	2.0	2.0	C1	89.0	−2.1	−4.2*	−0.2	1.5
A2	82.1	3.0	3.4	1.7	0.2	C2	74.4	−0.9	−0.3	−1.7	0.5
A3	69.6	−3.8	−1.4	−4.1	−5.9	C3	68.9	0.1	−2.3	−1.2	−6.6*
A4	71.9	−1.0	4.5	−6.1*	3.1	C4	70.3	−1.1	2.4	0.1	6.1
A5	71.5	1.4	4.2	2.0	−2.1	C5	72.8	5.9	10.3*	3.8	2.0
A6	67.7	1.2	5.9	1.7	−1.0	C6	66.9	−4.8	0.7	3.1	7.7*
A7	51.0	2.3	0.3	−2.7	−1.8	C7	55.0	−1.3	−2.7	−3.2	−2.9
A8	46.9	−5.9	−0.7	2.1	0.4	C8	38.4	3.8	1.4	0.7	0.5
A9	28.5	−5.9	−8.9*	5.1	2.4	C10	51.1	38.5*	10.7*	36.4*	−1.3
B1	83.8	5.0	1.0	−1.0	−0.5	D1	94.7	1.1	1.0	0.9	−1.2
B2	80.6	0.1	−1.9	−0.8	−0.6	D2	84.0	5.1	3.2	1.6	1.8
B3	76.3	4.2	1.8	6.6*	1.5	D3	80.0	−1.3	1.9	0.7	1.9
B4	76.9	4.1	7.4	7.3*	11.1*	D4	70.9	−0.3	1.3	−1.4	0.5
B5	61.0	−8.4*	3.2	−1.7	0.7	D5	65.9	−0.7	−2.0	−1.0	1.0
B6	68.7	4.4	−0.8	−3.0	1.3	D6	66.3	1.7	6.3	4.8	6.9*
B7	55.5	1.8	4.1	1.7	3.3	D7	68.7	3.4	−3.0	2.2	0.2
B8	52.1	1.1	−0.1	0.2	4.7	D8	30.1	−2.6	−5.0	−5.6	−4.8
B9	55.7	15.7*	22.9*	14.7*	19.1*						
B10	35.6	7.2*	5.2	6.9*	1.7	平均	65.8	64.4	63.8	63.8	64.3

(注) 成績 (%) の差で*印は, 22 年度と過年度との比較で成績間に統計的に有意差があることを示す.
21〜18 年度の値 (22 年度との正答率の差) で負数は 22 年度より過年度は大きい, 正数は過年度が小さいことを示す.

(3)　22〜14 年度共通問題の比較

さらに, 22〜14 年度では 9 校が継続して本学力調査に参加しており, 共通問題は 32 題であった.

その学校の全体の生徒数は, 22 年度 : 652 名, 21 年度 : 546 名, 20 年度 : 486 名, 19 年度 : 523 名, 18 年度 : 595 名, 17 年度 : 417 名, 16 年度 : 558 名, 15 年度 : 622 名, 14 年度 : 553 名であった.

22〜14 年度の 9 年間で同一校 32 題の 22 年度の平均正答率 (成績) と過年度と比較し, 有意差検定した結果を分類したのが表 2.13 である.

表 2.13　22 年度の成績と過年度との成績差（問題数）/9 校 32 題

22 年度成績	21 年	20 年	19 年	18 年	17 年	16 年	15 年	14 年
66.4	64.4	66.3	62.8	65.1	68.7	65.1	61.7	61.3
22 年度より上	1	2	0	0	2	2	0	0
22 年度と変化なし	29	29	28	31	30	28	28	25
22 年度より下	2	1	4	1	0	2	4	7

(注) 22 年度の成績との差で, 同一校 9 校の共通問題 32 題の 22 年度との有意差検定の結果.

表 2.13 から, 22 年度と過年度の平均正答率では成績に変化がなく, 32 題の比較では 25～31 題は有意差が認められなかった.

また, 各年次の平均成績をグラフに表したのが, 図 2.6 である. 過年度に比べて大きな変化は認められなかった.

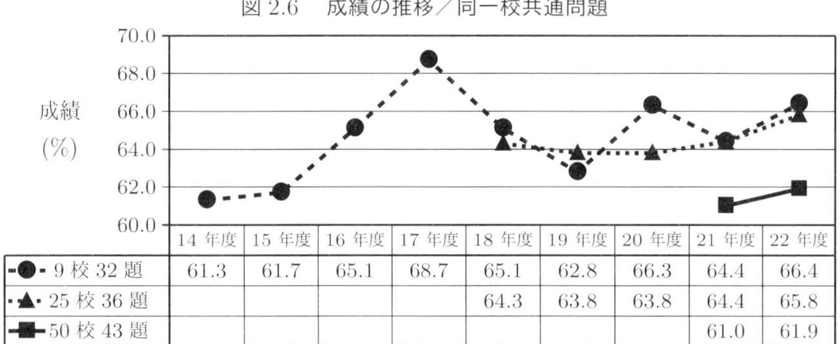

図 2.6　成績の推移／同一校共通問題

	14 年度	15 年度	16 年度	17 年度	18 年度	19 年度	20 年度	21 年度	22 年度
9 校 32 題	61.3	61.7	65.1	68.7	65.1	62.8	66.3	64.4	66.4
25 校 36 題					64.3	63.8	63.8	64.4	65.8
50 校 43 題								61.0	61.9

2.4.2　IEA 調査との比較

過去の大規模調査として, IEA が実施した SIMS がある. その調査問題の中から基礎・基本問題を 19 年度に続き 32 題選択して調査した. SIMS の母集団の定義は, 「高校 3 年生で数学 III を 5 単位以上履修している生徒」いわゆる当時の理系進学希望者集団であった. 今回の調査対象は, 高校 3 年で数学 III を履修している生徒であるから比較可能であると判断して, その結果を表 2.14 に表した.

今回実施した各テストの 1 ～ 8 番目の問題は, 1980 年度 SIMS で使用した問題からの出題で, 問題ごとに今回の成績と当時高校 3 年理数系生徒の成績 (正答率) を表で比較した.

表 2.14　過去の調査との比較／今回 vs. SIMS

問題	テスト A			テスト B			テスト C			テスト D		
	今回成績	SIMS成績	有意差	今回成績	SIMS成績	有意差	今回成績	SIMS成績	有意差	今回成績	SIMS成績	有意差
1	85.1	67.4	*	82.8	75.0	*	88.9	75.4	*	92.8	94.7	sims
2	80.1	74.6	*	82.9	73.8	*	74.9	68.1	*	80.6	62.9	*
3	71.8	58.6	*	76.8	66.2	*	69.6	58.6	*	78.9	74.0	*
4	70.1	16.2	*	74.2	61.8	*	70.3	55.8	*	69.2	50.0	*
5	72.0	55.5	*	62.0	58.0	*	72.5	64.3	*	67.2	54.3	*
6	69.1	55.3	*	67.3	56.8	*	65.4	68.9	sims	66.5	57.1	*
7	53.2	42.3	*	57.5	62.7	sims	55.7	55.0	ns	69.6	53.1	*
8	48.3	44.8	ns	54.0	43.8	*	37.1	30.1	*	31.6	38.1	sims

(注) 成績の有意差検定の結果, 5% 有意水準で, ns：両者に有意差なし, sims：SIMS の成績の方が良い,
*：今回調査の成績の方が良い.

各問の成績間の有意差検定を行って結果をまとめると, 今回の正答率がSIMS 調査のそれより良かったのはテスト A では A8 を除く 7 題, テスト B では B7 を除く 7 題, テスト C では C6, C7 を除く 6 題, テスト D では D1, D8 を除く 6 題であった. 反対に, SIMS 調査の方の成績が今回より良かったのは, B7（数 III, 微分法）, C6（数 III, 微分法）, D1（数 I, 集合と論理）, D8（数 II, 指数・対数関数）の 4 題であった. また, 両者の成績に有意差がなかったのは A8（数 II, 図形と方程式）, C7（数 II, 微分・積分）の 2 題であった.

全体 32 題中, 今回調査が良かったのは 26 題 (81%), SIMS 調査の方が良かったのは 4 題（13%）, 両調査に有意差がみられなかったのは 2 題 (6%) で, 大半の問題は今回の方が 80 年代より良かったことを表している.

表 2.15 は, 各年度の報告書から SIMS(1980 年度) の結果と比較したものである. 22～10 年度通算して全体 414 題では, 本調査の方が成績が良い問題は 311 題 (75.1%),SIMS の方が成績が良い問題は 39 題 (9.4%), 両調査の成績に有意差がない問題は 64 題 (15.5%) であった. 相対的に本調査の成績が 1980 年の国際調査である SIMS の成績より向上しているとみることができる. すなわち, 標本抽出の違いがあることを考慮しても, SIMS 当時の高校理系 3 年生と比べて, 今回の生徒の基礎学力成績は劣っていないと言える.

表 2.15　SIMS との比較

比較対象	本調査が上	同程度	SIMS が上	調査問題数
22 年度調査	26 (81%)	2 (6 %)	4 (13%)	32
21 年度調査	28 (88%)	2 (6 %)	2 (6 %)	32
20 年度調査	26 (81%)	5 (16%)	1 (3 %)	32
19 年度調査	26 (81%)	4 (13%)	2 (6 %)	32
18 年度調査	26 (81%)	4 (13%)	2 (6 %)	32
17 年度調査	26 (81%)	3 (9 %)	3 (9 %)	32
16 年度調査	24 (74%)	4 (13%)	4 (13%)	32
15 年度調査	26 (81%)	4 (13%)	2 (6 %)	32
14 年度調査	22 (69%)	6 (19%)	4 (13%)	32
13 年度調査	17 (57%)	9 (30%)	4 (13%)	30
12 年度調査	22 (70%)	5 (15%)	5 (15%)	32
11 年度調査	21 (66%)	8 (25%)	3 (9 %)	32
10 年度調査	21 (66%)	8 (25%)	3 (9 %)	32

(注) 表中の数値は問題数．問題ごとに SIMS と本調査を比較し，その成績の有意差検定を行い，「本調査が上」，「同程度」，「SIMS が上」とした．
( ) 内の数値は調査問題全体に対する割合 (%) である．

参考までに, SIMS 調査では, 当時の「数学 Ⅲ」履修生 (5 単位以上) の中から 207 校 7,982 人の標本抽出により 1980 年 11 月に実施された. 数学問題は 17 題を 1 セットにして 8 セット (合計 136 題) を用意し, 各クラスを 4 等分して任意の 2 セット (計 34 題) を生徒個人に与えて調査した.

SIMS では, 各問題を内容と目標の 2 次元に分類して分析していた. 教育的なねらいとした目標では, 「計算」, 「理解」, 「応用」, 「分析」の 4 領域である. 要約すれば,

「計算」: 事実, 用語に関する知識やアルゴリズムを実行する能力等をみる
「理解」: あるやり方から別のやり方へ問題を変換する能力等をみる
「応用」: 決まりきった手順で問題を解く能力等をみる
「分析」: 決まりきった手順ではできない応用を要求する能力等をみる

問題からの出題とみていた.

それに従って, 今回の問題を分類し整理すると, 表 2.16 になる.

表 2.16　内容・目標からの分類

領域	内容・目標	問　題		今回	SIMS
内容	集合・関係・関数	D1	1 題	92.8	94.7
	数の体系	A1, A4, B1, D2	4 題	79.7	55.4
	代数	B4, C3, C8	3 題	60.3	50.2
	幾何	A2, A8, B3, B8, D3, D4	6 題	67.9	58.9
	解析	A3, A6, A7, B2, B5, B6, B7, C1, C2, C4, C5, C6, C7, D5, D6, D8	16 題	66.1	59.0
	確率・統計	A5, D7	2 題	70.8	54.3
目標	計算	A2, A3, A8, B2, C1, C4, C5	7 題	73.5	63.9
	理解	A4, A7, B6, B8, D1, D3, D6, D7, D8	9 題	64.9	52.9
	応用	A1, A5, A6, B1, B3, B4, B5, C2, C6, C8, D2, D4, D5	13 題	70.5	59.5
	分析	B7, C3, C7	3 題	60.9	58.8
		全　体	32 題	68.7	58.5

内容領域別では, 今回と SIMS の平均成績の差は, 「数の体系」で 24.3%, 「代数」で 10.1%, 「幾何」で 9.0%, 「解析」で 7.1%, 「確率・統計」で 16.5% となり, 「集合・関係・関数」の −1.9% を除いて, いずれも今回が勝っていた. また, 目標領域別では, 今回と SIMS の平均成績の差は, 「計算」で 9.6%, 「理解」で 12.0%, 「応用」で 11.0%, 「分析」で 2.1% となり, 全体では 10.2% となって今回の成績が勝っていた.

2．5　付帯調査

付帯調査として調査実施校の数学科の先生方に「仮説検定についての教師アンケート」への回答協力を依頼した.

2.5.1　アンケートの目的

本アンケートの目的は, 数学科教員は「仮説検定の考え方」の扱いをどのように考えているのか調査し,「仮説検定の考え方」の指導に関する課題を明らかにすることにある. そこから「仮説検定の考え方」の指導に取り組む上での示唆を得たい．以下，その報告である．

2.5.2　アンケートの方法

数学科教員が仮説検定の考え方の指導をどの様にとらえているのか，現職の数学科教員を対象に実施した．

アンケートは本調査，理数系高校生の数学基礎学力調査協力校の数学科教員を対象に WEB にて実施した．さらに東京理科大学数学教育研究会の会員教員の協力も得て，ともに 2022 年 9 月から 12 月末にかけて実施した．質問項目は，回答者の年齢層や担当科目など 18 項目にわたる．ここでは紙面の都合もあり，次の 4 項目に限定して報告する．なお，質問 13 は自由記述式の回答を求めた．他の 3 項目は選択肢を設け，そこから 1 つ選択する形で回答を求めた．なお，データの処理については，個人や学校名が特定されることのないよう，集計して扱うと案内している．その上で，任意の回答を依頼し，期限までに 101 件の回答を得た．

質問 7　あなたは「仮説検定」について，いつ頃，習得されましたか．

質問 9　あなたなら「数学 I」のデータの分析の指導で「仮説検定の考え方」の指導に何時間かけます（かけました）か．

質問 11　2025 年度以降の大学入試共通テスト「数学 I」で「仮説検定の考え方」に関する問題が出題されると思いますか．

質問 13　数学 I で「仮説検定の考え方」，数学 B で「仮説検定」を指導すること，について，今現在，何が課題だとお考えですか．あなた自身のご意見をお聞かせ下さい．

2.5.3　アンケートの結果

質問 7 の集計結果からは，仮説検定を習得していないと自覚のある数学科教員が 3 割以上いることが分かった（図 2.7 参照）．また，質問 9「仮説検定の考え方」の指導時間数も 2 時間未満との回答が 7 割である（図 2.8 参照）．

図 2.7　質問 7 の回答集計

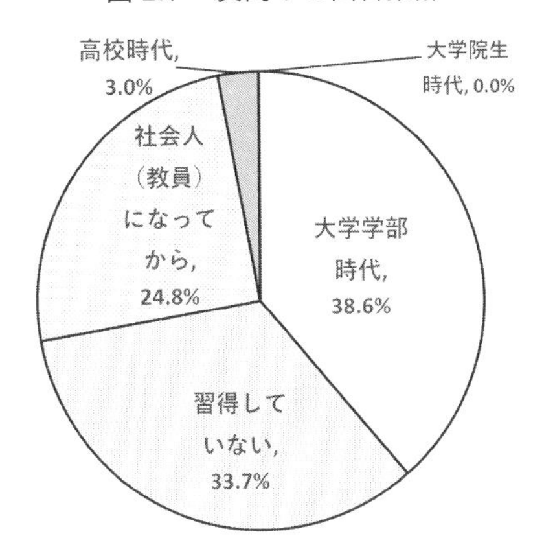

図 2.8　質問 9 の回答集計

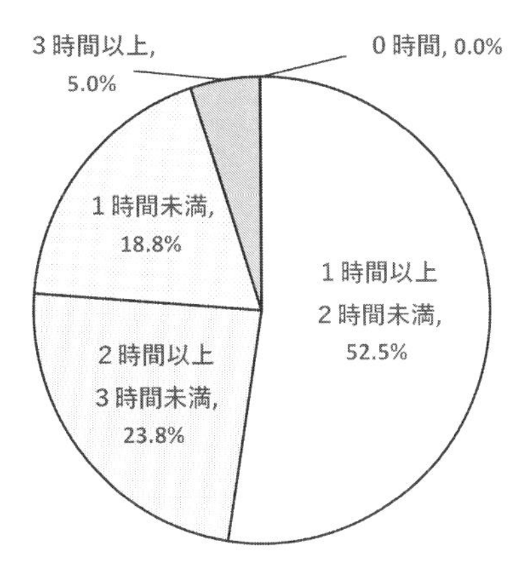

図 2.9　質問 11 の回答集計

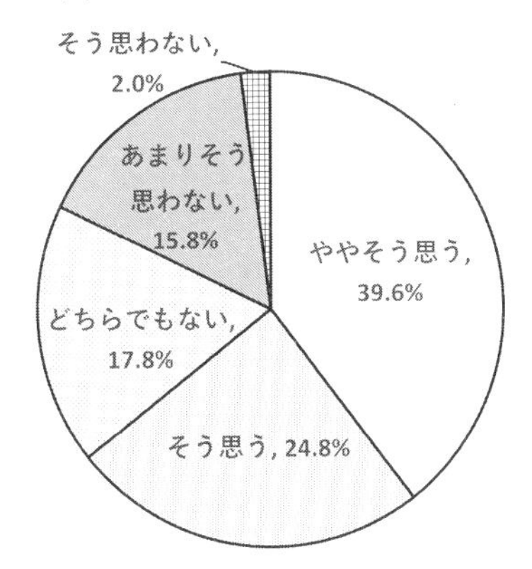

この結果から, 現状では「指導できないから（詳しく）やらない・やれない」といった印象を受ける. 質問 7 について, 年代別に集計したものが表 2.17 である.

表 2.17　質問 7 の年代別集計（単位：人）

習得時期	20 代	30 代	40 代	50 代	他	計
学部時代	6	19	8	5	1	39
未習得	2	6	17	6	3	34
社会人	0	11	7	5	2	25
高校時代	0	0	2	1	0	3
院生時代	0	0	0	0	0	0
計	8	36	34	17	6	101

表 2.17 より, 本アンケート回答者の約 7 割が 30 代・40 代の教員であることが分かる. その内, 40 代の教員に仮説検定を習得していないと自覚する教員が 17 名（40 代回答者の 5 割）いて, 他の年代に比べ多いことが分かる. 30 代と 40 代の教員で仮説検定を習得済みの者と未習得の者の人数を比較し, χ^2 検定をフリーソフト R(version 4.1.2) で実施した. その結果 $\chi^2 = 8.807, p = 0.003$ であり, 有意差が見られた. 他の年代別でも同様の χ^2 検定を行ったが, 他の年代での比較では有意差は見られなかった.

一方, 自由記述式の回答は, R に RMeCab(version 0.996) のパッケージを導入して, 101 件の回答文を単語単位に分解する形態素解析を行った. この分析には小林の KWIC コンコーダンスを作成するための関数 (小林・濱田・水本, 2020, pp.123-124) を用いて分析した.

質問 7・9 の結果から, 使用頻度 10 回以上の名詞のうち「理解」,「自身」,「不足」,「自分」,「教員」に注目した. その結果, 教師自身の勉強不足・スキル不足を不安視する意見が目立った (図 2.7, 2.8).

質問 13 の記述回答の中から, それを裏付ける代表的な意見を以下に挙げる.

- 久しく自分自身が統計分野から遠ざかっているので, この分野を正しく咀嚼して生徒に教えることができるレベルになるのかが課題です.
- 教員自身が習ってないジャンルであること
- 指導者の経験不足
- 自分自身の理解が十分とは言えないこと
- 教員の理解度が深くないのでは
- 私自身の理解や習得状況に不十分な部分があると感じており, その点が一番の課題です.
- 自分の知識不足
- 指導できる教員が少ない.

このように教員自身が仮説検定について十分な理解がないことを自覚している意見が目立つ.

また, 課題として次の点も明らかになった. 数学Iでの扱いは, インフォーマルな仮説検定でよいはずだが, その辺を理解できていない意見が散見されることである. 丸山（2021）は「指導内容としての『仮説検定の考え方』を『標本の比率と大きさを基に母比率に関する仮説について判断する問題に対して, 二項分布や正規分布といった確率分布を用いずに実験で得た経験的な標本分布に基づいて判断する活動において用いる見方や考え方』と規定する」(丸山, 2021, p.3) としている. そこから丸山（2021）は「仮説検定の考え方の指導はインフォーマルな統計的推測の一つに数えられる」(丸山, 2021, p.3) としている. こうした考え方が現職教員には十分浸透していないと考えられる. 質問13の記述回答の中から, インフォーマルな仮説検定を認識できていないと思われる回答をいくつか挙げておく.

- 単なる確率の低さを調べただけにすぎないこと. 標本の大きさや母平均, 母分散の既知未知などにこだわりが少ないこと.
- 確率論における仮説検定の中に統計的確率を前提とした内容になっている点で曖昧な形になっている.
- 正規分布で近似するのではなく, コインやサイコロを投げる実験結果を利用することが不自然であり, 受け入れられるかどうかわからない.
- 確率や確率分布, 統計的推測の知識が必要なので, 数学Iで深くできない.
- 数学Iでは扱いに限界があること.
- 指導するが, その後, どういう能力をつけていけばよいのか, 到達目標が不明確であること.
- 数学Bで仮説検定の方法を学ぶため, 数学Iでその考え方だけ学ぶ必要があるのか疑問は感じています.

- 数学Iでは数学Aの確率と切り離されていること.
- 生徒は積分の知識がないと, 式の意味を理解することができないと思います. (中略) 式の意味を理解しないで式を覚えてと指導せざるを得ません.

さらに, 質問11の結果 (図2.9) から「出題」, 「テスト」, 「共通」といった名詞にも注目してみた. その結果, 入試, 特に共通テストに出るか出ないかで指導すべきか否か判断しようとしている意見も多く見受けられた. その代表的な意見を, 質問13の記述回答の中からいくつか挙げる.

- 重要な単元だとは思うが, 入試で出題されないところも多くあるうえに, 内容が難しく感じる生徒が多くいそうであるため, 授業内での優先度が薄れてしまいそうである.
- 共通テストでどのように出題されるかの方針が見えないこと. サンプル問題が少ないこと.
- 教えたことがない内容なので授業の展開, 共通テストに向けての指導など.

入試で出るから指導する, 入試に出ないものは指導する必要がない, といった価値観だけで教育を行う時代はそろそろ終わろうとしていると思うのだが, 残念な意見である.

2.5.4　まとめと考察

教員向けアンケート結果からは以下の2点が課題として明らかになった.

・現職教員の3割強が仮説検定について, 習得していない事
・インフォーマルな仮説検定について, 理解が不足していると思われる事

である.

仮説検定を習得していないとする数学科教員が3割以上いて, 教員自身が仮説検定について十分な理解がないことを自覚していることが分かった. 特に, 数学科のリーダー的立場になる40代教員で多いことが表2.17から分かる. 40

代の教員が学んだ当時の学習指導要領による影響もあると思われるが, 30 代の教員が社会人になってから習得したとする者が 11 名（30 代回答者の約 3 割）いるだけに 40 代の教員にもこれからの習得を促したい. 未習得という自覚があるということは, それを改善しよう・したいといった気持ちの表れであると好意的に受け取ることもできる. こうした思いを後押しできるような研修会などが増えていくことが必要ではないかと考える. 現代化の時に行われた教員向け講習会のようなものが開催されることを期待したい. 教員の免許更新講習はなくなったが, 形だけの講習ではなく, 改善しよう・したいといった気持ちのある教員にとって有益であり, 生徒の指導に活かせる様な講習会がのぞまれる.

2 点目については, インフォーマルな仮説検定という考え方が教育現場には根付いていない事が予想できる. インフォーマルな仮説検定をもっと紹介し, 浸透させる必要があろう. Makar と Rubin(2009) は学校での統計指導において「推論理由を言語化することは, 推論を行う際に不確実性を表現することの重要性を強調している」(Makar & Rubin, 2009, pp.86-87) と指摘する. 数学 B で仮説検定を学習する前の高校生に, 数学的活動を取り入れて実験データを収集し, それを表やグラフにまとめて考察させるのはどうであろうか. そうした指導・活動からデータの特徴を見つけ出し, 不確実な事象の考察をさせてはどうか.

例えば, 次のような教材でインフォーマルな推測を, 中学生や高校 1 年生に対して実践することを提案したい. 中学校の検定教科書にもあるルーラー・キャッチを行う. ルーラー・キャッチとは, 2 人一組で 50cm の定規を用いて行うつぎのような実験である. ここでは学校図書「中学校 数学 1」で紹介されている手順で説明する.

① 1 人は指の間に 50cm の定規を構える.
② もう 1 人は机の上に腕を置き, 人差し指と親指を 90°に開く.
　親指の上部を, 定規の 0 の目盛りの位置に合わせる.
③ 号令のあと, 10 秒以内に定規を落とす.
④ 落下している定規をキャッチして, つかんだ親指の上部の位置を記録とする.

この実験をふたり一組で行い，１人当たり10回ほど記録をとる．その際「文化部に所属する人と運動部に所属する人で，反射神経に違いがあるのかどうか調べる.」といった文脈を用意し，その検証をテーマとする．この数学的活動でデータを収集し，そのデータを教員が表計算ソフトで集計，度数分布表やヒストグラムを生徒に提示する．そこから，例えば40cm以上の記録が生じる確率（または相対度数）等を根拠に，上記の文脈に対する判断を問う．また，度数分布表以外にどの様な表が考えられるか，ヒストグラム以外に他のグラフ表現はないか等，発問しながら考えさせたい．さらに検証の際には，必ずデータを根拠にすることを強調しながら指導し，インフォーマルな推測で不確実性を伴った表現ができるよう指導する機会を設けてみるのもよいであろう．

参考文献

池田敏和，他51名 (2020)「中学校数学１」学校図書，pp.232-233
小林雄一郎・濱田彰・水本篤 (2020)「Rによる教育データ分析入門」オーム社，pp.121-124
Makar,K. & Rubin,A.(2009) A framework for thinking about informal statistical inference, *Statistics Education Research Journal*, 8, 1, pp.82-105
丸山達法 (2021)「高校数学『仮説検定の考え方』における標本変動性に関する研究」 数学教育学会誌 2021/Vol.62/No.1・2, pp.1-19

第３章　IRT（項目反応理論）による調査結果の分析

3．1　目的

IRT(項目反応理論) では等化により, 異なる問題 (項目) 構成のテストでも同一の指標 (能力値) で学力を比較することができる. この特長を用いて, 基礎学力調査の結果から新型コロナウィルス流行以前の 2019 年度から 2022 年度現在まで能力値がどのように変化したかを調べる.

3．2　等化の方法

(1)　同一集団による等化

基礎学力調査では毎年 A, B, C, D の 4 種類のテストを実施している. これらの 4 種類のテストの受験者は, 各年度, 同一の受験者母集団から無作為に選ばれていると仮定する. このため, テスト A～D の能力値の分布は同一と仮定し, 各テストからの能力値の平均と標準偏差は同じになるように項目パラメータを等化した. この分析では, 平均を 0, 標準偏差を 1 とした（等化の計算式は, 須田・眞田・渡邉 [1] の 2.4 を参照）.

(2)　基準の年度

基礎学力調査の受験者数は, 2019 年度が 7,020 名, 2020 年度が 4,141 名, 2021 年度が 5,001 名, 2022 年度が 5,128 名で, 2019 年度が最も多い. このため, 信頼性の観点から 2019 年度を基準として項目パラメータの等化を行った. 具体的には, 2019～2022 年度で共通の問題には 2019 年度の項目パラメータを用いて, 2020～2022 年度で新規に出題された問題には, 2019 年度を基準として mean-mean 法を用いた共通項目計画 (豊田 [2] 参照) で等化を行った.

３．３　能力値の比較（全問題）

各テストの 9〜11 問目の記述式問題の採点結果（正答，準正答または誤答）に多段階反応モデルを適用し，全問題の採点結果から推定した能力値分布を図 3.1 に，標本平均，標本標準偏差及び t 値を表 3.1 に示す．表 3.1 で標本数が受験者数より少ない理由は，IRT では各テストで全問正答または全問誤答の場合には能力値が推定できず，標本数にはそれらの場合が含まれていないためである．

図 3.1　能力値分布（全問題）

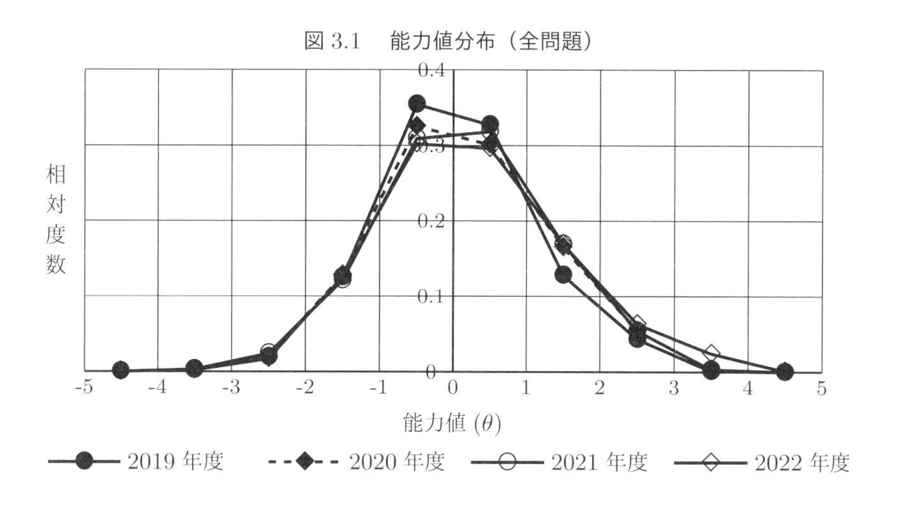

表 3.1　能力値の平均の差（全問題）

統計量	2019 年度	2020 年度	2021 年度	2022 年度
標本数	6,933	4,098	4,949	4,981
標本平均	0.00	0.15	1.12	1.23
標本標準偏差	1.00	1.15	1.12	1.23
t 値 (19 年度との差)	−	7.11*	7.58*	11.99*
t 値 (20 年度との差)	−	−	−0.09	4.02*
t 値 (21 年度との差)	−	−	−	4.34*

(注)「t 値 (XX 年度との差)」で*印を付した年度は，20XX 年度に比べてその年度の能力値の平均が有意に高いことを表す (片側有意水準 5%).

表 3.1 から能力値の平均は 2019 年度に比べて 2020〜2022 年度, 2020 年度に比べて 2022 年度, 2021 年度に比べて 2022 年度が有意に高いことがわかる(片側有意水準 5%).

また, 能力値の分散の差を検定するため, 各年度間の F 値を計算した結果が表 3.2 である. この表から能力値の分散は 2019 年度に比べて 2020〜2022 年度, 2020 年度に比べて 2022 年度, 2021 年度に比べて 2022 年度が有意に大きいことがわかる (F 値が F 分布の 95% 点より高い. すなわち有意水準 5% で有意). なお, 2021 年度は 2020 年度に比べて分散が有意に小さい (F 値が自由度 (4097, 4948) の F 分布の 5% 点 0.952 より小さい).

表 3.2　能力値の分散の差（全問題）

統計量	2019 年度	2020 年度	2021 年度	2022 年度
自由度 (= 標本数 − 1)	6,932	4,097	4,948	4,980
標本分散	0.999	1.323	1.254	1.513
F 値 (19 年度比) (F 分布 95% 点)		1.323* (1.047)	1.255* (1.044)	1.515* (1.044)
F 値 (20 年度比) (F 分布 95% 点)			<u>0.948</u>	1.143* (1.050)
F 値 (21 年度比) (F 分布 95% 点)				1.207* (1.048)

(注)「F 値 (XX 年度比)」で*印を付した年度は, 20XX 年度に比べてその年度の能力値の分散が有意に高いことを表す. 2021 年度の下線は,2020 年度に比べて有意に低いことを表す (有意水準 5%).

３．４　能力値の比較（選択肢問題）

全問題での能力値の変化は３．３の通りであるが, 各テストの 9〜11 問目を構成する記述式問題の正答率は, 図 3.2(A)〜(D) に示すように大きく変動しているものがある (図 3.2(A)〜(D) は, 2022 年度のテスト A〜D の記述式問題の 2019〜2022 年度の正答率の推移).

このため, 各テストの 1〜8 問目の選択肢問題だけで３．３と同様の分析を行った. 表 3.3 に標本平均, 標本標準偏差及び t 値を, 図 3.3 に能力値分布を示す. 表 3.3 の標本数には, 表 3.1 と同様に各テストで選択肢問題に全問正答または全問誤答の解答は含まれていない.

図 3.2(A) 記述式問題の正答率 (テスト A)

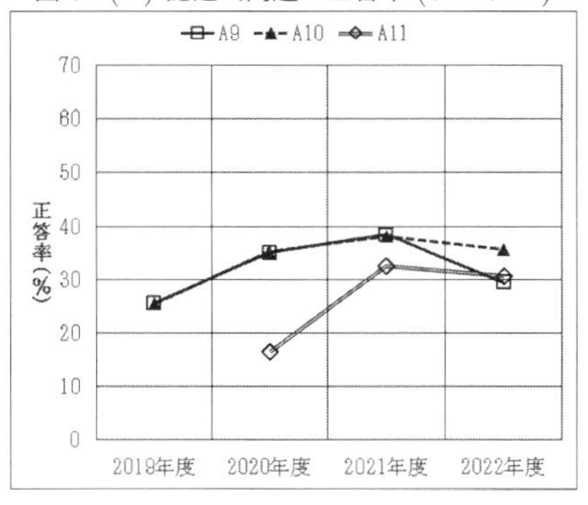

図 3.2(B) 記述式問題の正答率 (テスト B)

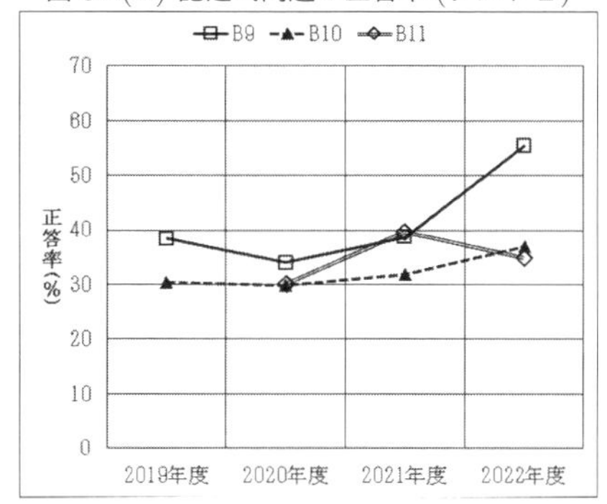

図 3.2(C) 記述式問題の正答率 (テスト C)

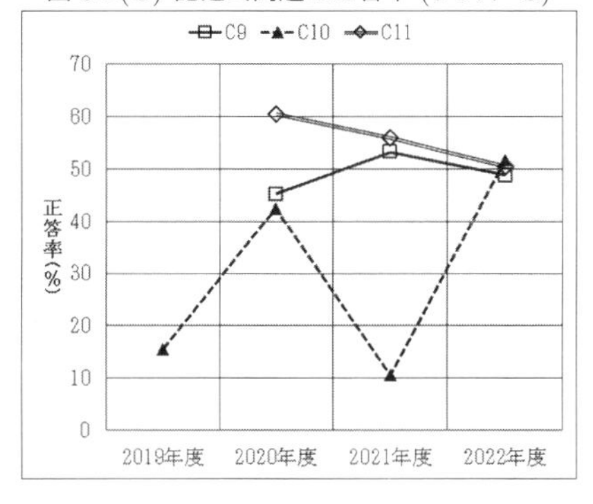

図 3.2(D) 記述式問題の正答率 (テスト D)

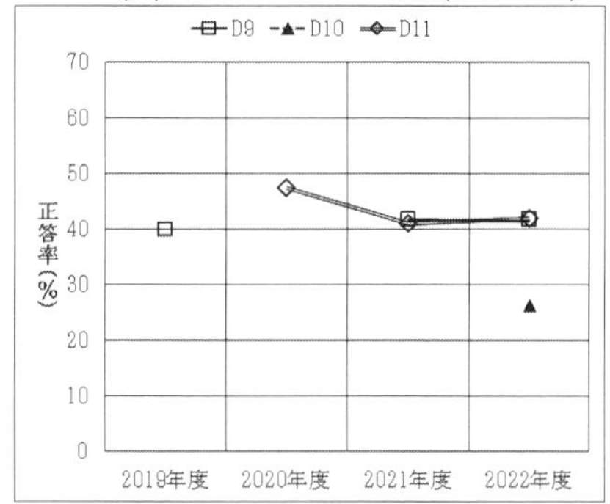

表 3.3　能力値の平均の差（選択肢問題）

統計量	2019 年度	2020 年度	2021 年度	2022 年度
標本数	6,036	3,455	4,262	4,276
標本平均	0.000	−0.004	0.041	0.005
標本標準偏差	1.000	1.039	1.028	1.30
t 値 (19 年度との差)	–	−0.186	2.013*	0.252
t 値 (20 年度との差)	–	–	1.901*	0.388
t 値 (21 年度との差)	–	–	–	−1.608

(注)「t 値 (XX 年度との差)」で*印を付した年度は, 20XX 年度に比べてその年度の能力値の平均が有意に高いことを表す (片側有意水準 5%).

図 3.3　能力値分布（選択肢問題）

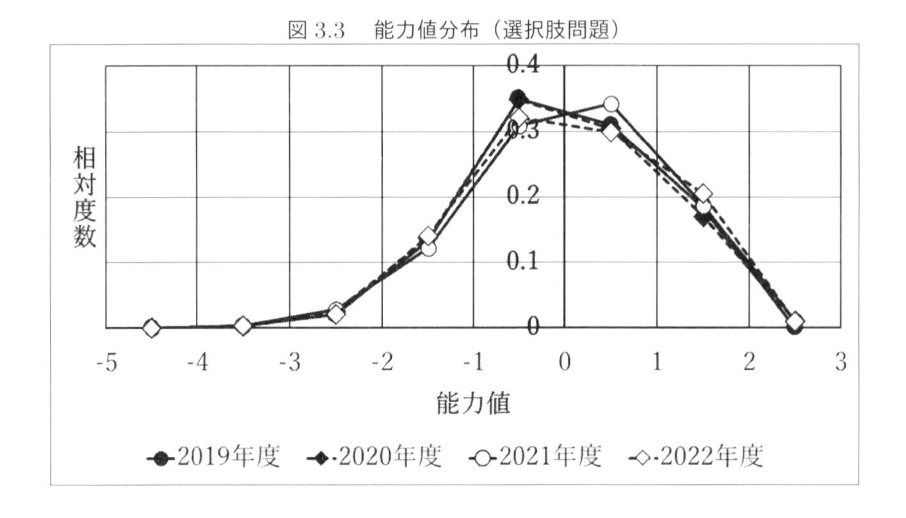

表 3.3 から選択肢問題では能力値の平均は, 2021 年度が 2019 年度と 2020 年度に比べて有意に高いことがわかる (片側有意水準 5%). また, 表 3.4 から, 2020～2022 年度の能力値の分散は, 2019 年度に比べて有意に大きいことがわかる (有意水準 5%).

表 3.4　能力値の分散の差（選択肢問題）

統計量	2019 年度	2020 年度	2021 年度	2022 年度
自由度 (= 標本数 − 1)	6,035	3,454	4,261	4,275
標本分散	0.999	1.080	1.057	1.060
F 値 (19 年度比) (F 分布 95% 点)		1.081* (1.051)	1.057* (1.055)	1.061* (1.048)
F 値 (20 年度比) (F 分布 5% 点)			0.978 (0.948)	0.982 (0.948)
F 値 (21 年度比) (F 分布 95% 点)				1.003 (1.052)

(注)「F 値 (XX 年度との差)」で*印を付した年度は, 20XX 年度に比べてその年度の能力値の分散が有意に高いことを表す (有意水準 5%).

３．５　結論

３．３と３．４から得られる共通の結果は

- 能力値の平均は, 2019 年度に比べて 2021 年度が有意に高い (片側有意水準 5%).
- 能力値の分散は, 2019 年度に比べて 2020〜2022 年度が有意に大きい (有意水準 5%).

である.

しかし, 能力値の平均については, 例えば 2019 年度に対して全問題を対象とした分析では 2020 年度と 2022 年度で大きな有意差があるが, 選択肢問題を対象とした分析では有意差がない (表 3.1 と表 3.3 を参照). このことは, 能力値の平均推定については記述式問題の影響が大きく, 今回の分析で断定的に結論付けることは難しいと考える.

参考文献

[1] 須田学・眞田克典・渡邉博史（2021）「項目反応理論による高校生の数学基礎学力の分析」, 東京理科大学教職教育研究 第７号 2021 年度, 東京理科大学教育支援機構教職教育センター, pp.45-56

[2] 豊田秀樹（2012）「項目反応理論 [入門編]【第２版】」, 朝倉書店, pp.115-118

第4章　調査問題の解説

出題した 44 題を科目・内容別にまとめたのが, つぎの表である.

科目	内容	問題番号	問題数
数学I	集合と論理	D-1	1
	三角比	A-2, C-9	2
	二次関数	B-4, C-3	2
	データの分析	A-9, D-7	2
数学A	場合の数と確率	A-5, B-10	2
	整数の性質	C-8	1
数学II	図形と方程式	A-8	1
	指数・対数関数	B-1, C-10, D-8	3
	三角関数	A-10, D-4	2
	微分・積分	B-2, C-2, C-7	3
数学B	数列	A-1, B-9	2
	ベクトル	A-11, B-11, C-11, D-3, D-11	5
数学III	平面上の曲線	B-3, B-8	2
	複素数平面	A-4, D-2	2
	関数の極限	C-4, D-9	2
	微分法	A-3, A-6, B-5, B-6, B-7, C-5, C-6, D-6, D-10	9
	積分法	A-7, C-1, D-5	3

4．1　数学Ⅰ・Aの問題

数学Ⅰ：集　　合

Ⅰ・A

問題 D-1　記号 $P \cap Q$ は, 2つの集合 P と Q の交わり（共通部分）を表し, 記号 $P \cup Q$ は, 2つの集合 P と Q の結び（和集合）を表します. 右の図の斜線部分は, つぎのどれですか.

(ア)　$(P \cap Q) \cup R$

(イ)　$P \cup (Q \cap R)$

(ウ)　$P \cap (Q \cup R)$

(エ)　$(P \cap Q) \cap R$

(オ)　$(P \cup Q) \cap R$

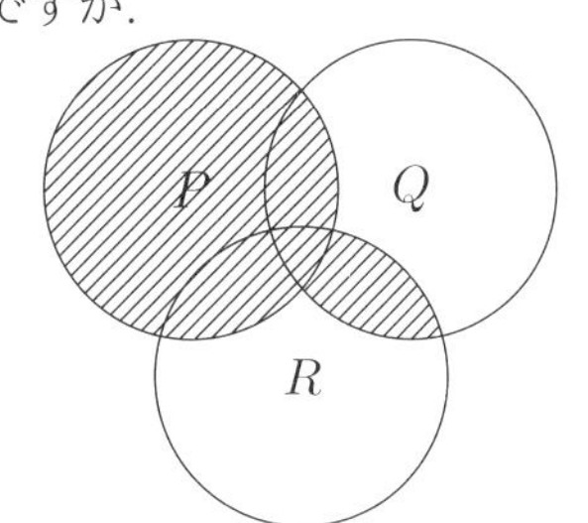

反応率

年度	ア	イ	ウ	エ	オ
22	0.2%	92.8%	4.7%	0.6%	1.4%
21	0.2%	93.5%	4.6%	1.2%	0.6%
20	0.0%	94.7%	4.4%	0.4%	0.5%
19	0.3%	93.4%	4.7%	0.9%	0.8%
18	0.2%	94.1%	4.1%	0.8%	0.7%

年度	正答率	自信率	誤答率	無答率	期待正答率	教師評価	SIMS
22	92.8%	68.4%	6.9%	0.2%	90%	66.1%	94.7%
21	93.5%	66.5%	6.5%	0.0%	90%	69.1%	
20	94.7%	69.0%	5.3%	0.0%	90%	68.4%	
19	93.4%	66.3%	6.6%	0.0%	90%	68.7%	
18	94.1%	68.4%	5.8%	0.1%	90%	66.9%	

解答例　(ア)〜(オ) の集合は，それぞれつぎの斜線部分を表す．

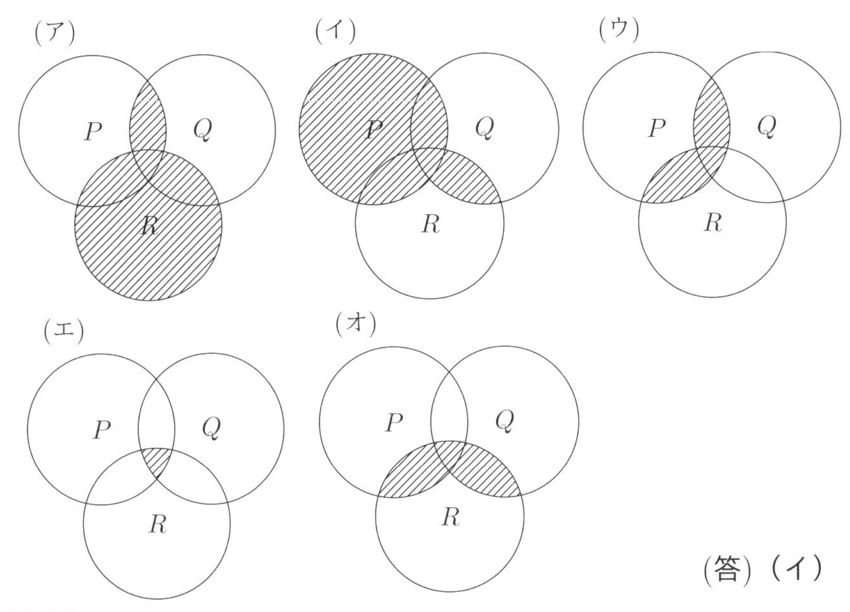

(答) (イ)

解説　図の斜線部分で表された集合を記号を用いて表す問題である．解答例のように，集合の記号を読み取って図の斜線部分を考える方法と，斜線部分からそれを表す集合を求める方法がある．問題文にある斜線部分を集合 P とその他の部分に分けて考えると，集合 P に含まれない部分は，$Q \cap R$ の部分集合であることから，P と $Q \cap R$ の和集合ではないかという正答への道筋がみえる．

なお最も多かった誤答は（ウ）である．これは $P \cup Q$ と $P \cap Q$ の記号を逆にとらえてしまった，あるいは和集合と積集合の意味を逆にとらえたものと思われる．問題文にも $P \cup Q$ と $P \cap Q$ の記号の説明が書かれているので，そこで再確認してから問題に取り組めば多少は防ぐことができるのであるが，問題文をあまり読まずに解答している生徒も多かったのではないだろうか．

2021 年度との反応率を比較すると，自信率が上昇しているものの，正答率が下降し誤答率が上昇している．

I・A

数学Ⅰ：三　角　比

問題 A-2　右の図で，

PQ⊥OQ および RS⊥OQ です．

$OQ = OR = 1, \angle POQ = \alpha$

とすると，PQ は，つぎのどれですか．

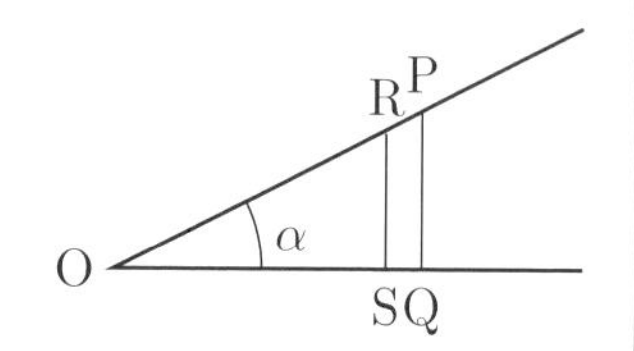

(ア) $\sin\alpha$　　(イ) $\cos\alpha$　　(ウ) $\tan\alpha$

(エ) $2\sin\alpha$　　(オ) $1-\cos\alpha$

反応率

年度	ア	イ	ウ	エ	オ
22	6.7%	4.2%	80.1%	2.8%	5.8%
21	6.1%	3.8%	81.8%	3.5%	4.2%
20	6.9%	3.8%	81.0%	2.0%	6.0%
19	7.5%	3.4%	79.5%	2.7%	6.2%
18	7.3%	3.4%	80.2%	2.4%	6.3%

年度	正答率	自信率	誤答率	無答率	期待正答率	教師評価	SIMS
22	80.1%	58.4%	19.6%	0.4%	90%	68.2%	74.6%
21	81.8%	56.9%	17.6%	0.6%	90%	63.3%	
20	81.0%	58.3%	18.7%	0.3%	90%	65.7%	
19	79.5%	52.9%	19.7%	0.8%	90%	64.4%	
18	80.2%	54.0%	19.3%	0.5%	90%	62.0%	

解答例　PQ⊥OQ より

$PQ = OQ\tan\alpha$

また，OQ= 1 だから

$PQ = \tan\alpha$ ……(答)（ウ）

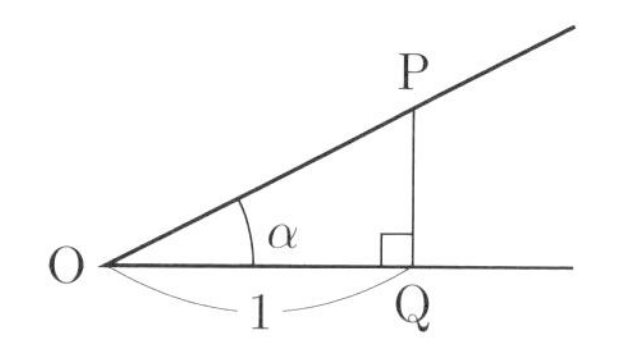

解説　三角比の定義を用いる基本的な問題である．

正答率は今回 80.1% と，過去 5 年間で 2 番目に低い．13 年度の 76.3% が最低であるが，ここ数年は 80% 前後で推移している．

正答率の割には自信率が 50% 台であり，高いとはいえない．自信をもって正解している生徒が少ない問題といえる．また，誤答として例年 (ア) の選択が多い．$\sin\alpha = \mathrm{PQ}/\mathrm{OP}$ であるから，それを選びたくなることは理解できる．しかし，OP の値が与えられていないことに気づく必要がある．

本問題は，特別な解法を必要としないが，問題文や図の中に解答に用いない点や長さ，角度などがあるため，「自信があまりない」という生徒の割合が多いものと推測される．

理数系の生徒は，三角関数に慣れていても，三角比（図形）には慣れていないこと，検算の方法（別の考え方）がみあたらないことも自信率の低い原因かもしれない．

また，図形問題において，題意の図を自分でかき，与えられた条件を記入することで自信率向上が期待できる．

本問題では，$\triangle\mathrm{OQP}$ で $\angle\mathrm{OQP} = 90^\circ$ だから $\angle\mathrm{Q}$ のところに垂直を表すマークが入っていれば，正答率，自信率ともに上昇する可能性がある．日頃の授業で，問題を読み取り，生徒自身の手で図をかく習慣をつけさせたい．

実社会や研究・探究においては，様々な情報の中から必要なものだけを取り出し議論を進める．そのことを考えると本問のように「使われない情報」を含んだ問題の指導も今後検討に値するであろう．

数学 I：三　角　比

I・A

> 問題 C-9　$\triangle$ABC は, AB $=10$, AC $=15$, $\angle$BAC $=60^\circ$ を満たします.
> $\angle$BAC の 2 等分線と BC との交点を D とするとき, AD の長さを求めなさい.

年度	正答率	自信率	誤答率	無答率	期待正答率	教師評価
22	48.8%	26.0%	45.8%	5.4%	70%	53.6%
21	53.2%	28.4%	42.3%	4.4%	70%	52.7%
20	45.2%	24.4%	51.5%	3.3%	70%	54.1%
19	—	—	—	—	—	—
18	46.9%	24.3%	48.4%	4.7%	70%	53.9%

解答例　AD$=x$ とする.

$\angle$BAD $=$ $\angle$DAC $=30^\circ$ なので

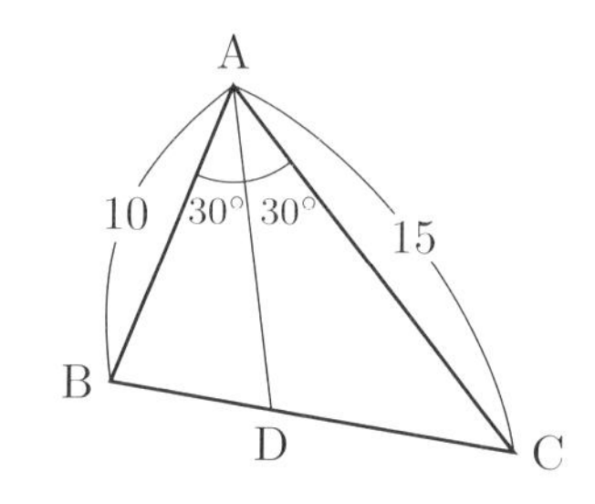

$$\triangle \mathrm{ABD} = \frac{1}{2}\cdot \mathrm{AB}\cdot \mathrm{AD}\cdot \sin\angle \mathrm{BAD} = \frac{1}{2}\cdot 10x\cdot\frac{1}{2} = \frac{5}{2}x$$

$$\triangle \mathrm{ADC} = \frac{1}{2}\cdot \mathrm{AC}\cdot \mathrm{AD}\cdot \sin\angle \mathrm{CAD} = \frac{1}{2}\cdot 15x\cdot\frac{1}{2} = \frac{15}{4}x$$

$$\triangle \mathrm{ABC} = \frac{1}{2}\cdot \mathrm{AB}\cdot \mathrm{AC}\cdot \sin\angle \mathrm{BAC} = \frac{1}{2}\cdot 10\cdot 15\cdot\frac{\sqrt{3}}{2} = \frac{75\sqrt{3}}{2}$$

$\triangle$ABD $+$ $\triangle$ADC $=$ $\triangle$ABC なので

$$\frac{5}{2}x + \frac{15}{4}x = \frac{75\sqrt{3}}{2}$$

したがって　$x = 6\sqrt{3}$　……（答）

別解　点 B, C から直線 AD に, それぞれ垂線 BE, CF を引く.

$\angle\mathrm{BAE} = \angle\mathrm{CAF} = 30^\circ$

$\angle\mathrm{AEB} = \angle\mathrm{AFC} = 90^\circ$

$\mathrm{AB} = 10, \mathrm{AC} = 15$ より

$$\mathrm{BE} = 5, \quad \mathrm{CF} = \frac{15}{2},$$

$$\mathrm{AE} = 5\sqrt{3}, \quad \mathrm{AF} = \frac{15\sqrt{3}}{2}$$

$\triangle\mathrm{BDE} \backsim \triangle\mathrm{CDF}$ より, $\mathrm{ED} : \mathrm{FD} = \mathrm{BE} : \mathrm{CF} = 2 : 3$

したがって　$\mathrm{ED} = \dfrac{2}{5} \times \mathrm{EF} = \dfrac{2}{5} \times \dfrac{5\sqrt{3}}{2} = \sqrt{3}$

ゆえに　$\mathrm{AD} = \mathrm{AE} + \mathrm{ED} = 6\sqrt{3}$ ……（答）

解説　辺の長さを求める問いであり, 解答例では三角比の問題として正弦定理や余弦定理を用いずに, 三角形の面積に着目した.

正答率は, これまで 17 回出題された中で 2 番目に高い. 自信率もこれまでで 3 番目によく, 増加傾向がみられる. 多様な考え方ができる問題であり, 別解のように中学の知識で解くこともできる. 図を用いて, 学習で身についた知識の使い方を考えることが大切である.

参考　$\triangle\mathrm{ABC}$ について, BC を $m : n$ に内分する点を D とするとき, $n\mathrm{AB}^2 + m\mathrm{AC}^2 = (m+n)\mathrm{AD}^2 + n\mathrm{BD}^2 + m\mathrm{CD}^2$ が成り立つ. これをスチュワートの定理という.

中線定理は, $m = n = 1$ の場合である.

本問では, $m = 2, n = 3$ とすればよい.

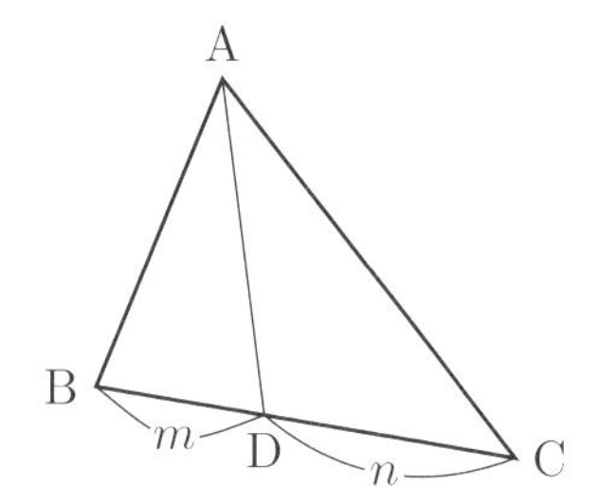

I・A

数学 I：二次関数

問題 B-4 商品を $x \times 10^3$ 個（$0 < x < 5$）売ったときの利益 $y \times 10^3$ 円を予想するために，つぎの 2 つの関係式 A, B を考えました．

関係式 A：$y = 6x - x^2$，　関係式 B：$y = 2x$

関係式 A より関係式 B の方が，多くの利益をあげるような x の範囲は，つぎのどれですか．

(ア) $0 < x < 4$　(イ) $0 < x < 5$　(ウ) $3 < x < 5$
(エ) $3 < x < 4$　(オ) $4 < x < 5$

反応率

年度	ア	イ	ウ	エ	オ
22	20.2%	2.0%	2.0%	1.5%	74.2%
21	22.3%	2.0%	2.6%	1.3%	71.7%
20	24.4%	2.0%	1.4%	2.1%	70.2%
19	24.3%	2.5%	2.7%	1.2%	68.8%
18	26.3%	2.5%	3.2%	1.9%	65.8%

年度	正答率	自信率	誤答率	無答率	期待正答率	教師評価	SIMS
22	74.2%	47.9%	25.7%	0.2%	85%	50.8%	61.8%
21	71.7%	48.0%	28.2%	0.2%	85%	54.7%	
20	70.2%	49.2%	29.8%	0.0%	85%	56.8%	
19	68.8%	42.8%	30.6%	0.6%	85%	51.1%	
18	65.8%	41.0%	33.8%	0.4%	85%	58.5%	

解答例　関係式 A より関係式 B の方が，多くの利益をあげるということは

$$(6x - x^2) \times 10^3 < 2x \times 10^3 \quad \cdots\cdots (*)$$

$$6x - x^2 < 2x$$

$$x^2 - 4x > 0$$
$$x(x-4) > 0 \qquad \cdots\cdots（＊＊）$$
$$x < 0,\ x > 4$$

また, 題意より $0 < x < 5$ だから, 求める範囲は,

$4 < x < 5$　……（答）（オ）

I・A

別解　定義域 $0 < x < 5$ において,

関係式 A : $y = 6x - x^2$

関係式 B : $y = 2x$

のグラフをかくと, 右の図のようになる.

$4 < x < 5$ において, 関係式 B の方が多く利益をあげているのがわかる.

……（答）（オ）

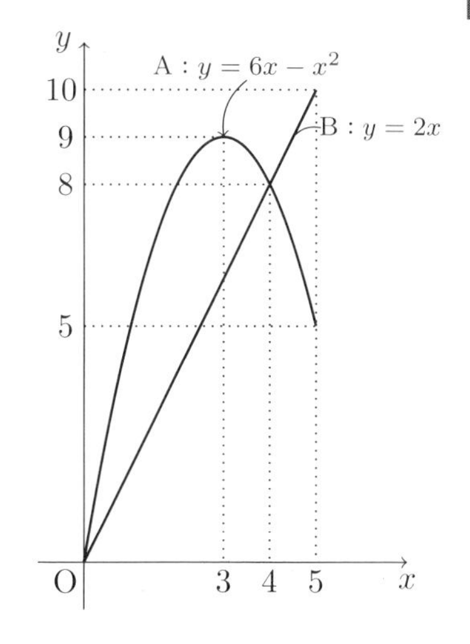

解説　本問の誤答で最も多いのは (ア) で, その選択者は 20.2% であり, 解答者のおよそ 5 分の 1 である. その原因として, 解答例（＊）における不等号を逆向きにしたこと, または別解におけるグラフ上で, 関係式 A より関係式 B の方が多く利益をあげている範囲の把握ができなかったことが推測される. これについては問題 C-3 でも同様の指摘がある.

また, 解答の一部に「数値 3 が用いられることはなく, 4 が用いられる」ことは（＊＊）の式などからわかる. そのことが (イ), (ウ), (エ) を選択した解答が少ない理由と考えられる.

なお, $\times 10^3$ が 2 つあり, それらにまどわされた生徒はいたかもしれないが, 本文の考察にはあまり影響しない.

数学 I：二次関数

問題 C-3　右のグラフにおいて，つぎのどの場合に

$$ax + b > cx^2$$

となりますか．答えは，つぎの中から選びなさい．

(ア)　$(x - x_1)(x - x_2) > 0$

(イ)　$(x - x_1)(x - x_2) < 0$

(ウ)　$0 < x < x_1$

(エ)　$x > x_2$

(オ)　(ア)〜(エ) のどれでもない．

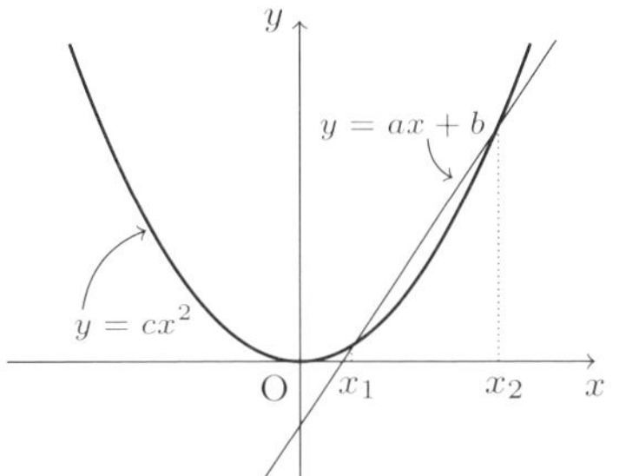

反応率

年度	ア	イ	ウ	エ	オ
22	11.8%	69.6%	3.6%	3.0%	11.1%
21	12.0%	68.2%	4.1%	2.5%	12.8%
20	11.1%	72.3%	3.5%	2.5%	10.1%
19	11.3%	69.7%	2.9%	3.1%	11.6%
18	9.0%	71.9%	3.4%	3.0%	12.5%

年度	正答率	自信率	誤答率	無答率	期待正答率	教師評価	SIMS
22	69.6%	42.0%	29.4%	1.0%	80%	51.0%	58.6%
21	68.2%	40.5%	31.3%	0.6%	80%	57.5%	
20	72.3%	42.7%	27.2%	0.5%	80%	63.6%	
19	69.7%	39.7%	28.9%	1.4%	80%	51.9%	
18	71.9%	45.8%	27.8%	0.3%	80%	58.4%	

解答例　与えられた不等式より　$cx^2 - ax - b < 0$

ここでグラフから $c > 0$ であり, 放物線 $y = cx^2$ と直線 $y = ax + b$ との交点の x 座標は x_1, x_2 である.

よって, 上の不等式は　$c(x - x_1)(x - x_2) < 0$

と変形できる. 両辺を c で割ると, $c > 0$ より

$(x - x_1)(x - x_2) < 0$　…… (答) (イ)

別解　直線 $y = ax + b$ のグラフの方が放物線 $y = cx^2$ のグラフの上部にあるような x の値の範囲は, $x_1 < x < x_2$

$x_1 < x$　かつ　$x < x_2$

$x - x_1 > 0$　かつ　$x - x_2 < 0$

よって　$(x - x_1)(x - x_2) < 0$　…… (答) (イ)

解説　問題では与えられた不等式により「直線 $y = ax + b$ が放物線 $y = cx^2$ より上にある」ような x の範囲を, 不等式を用いてどう表すかが求められている. 解答例は2次方程式を解くことから, 別解は題意を満たす x が x_1 と x_2 の間にあることを表現した不等式から, 解を導いている.

誤答として (ア) と (オ) が多い. (ア) の理由として, 与えられた不等式の範囲を $x < x_1$ または $x_2 < x$ ととらえたことが一因と考えられる.

このことから,「不等式を解釈し, かつグラフから情報を読み取る力の弱い生徒の存在」が指摘できる.

また, (オ) の理由は様々な事が考えられるが, 1つの理由として「選択肢には2次不等式の解があるはず」と捉えていることが考えられる. いいかえると,「$ax + b > cx^2$ の解は $x_1 < x < x_2$ だが、選択肢になかったので (オ) を選択した」ということである. もしそうであれば, この問題は $ax + b > cx^2$ と必要十分条件になっているものを見つけよという問題であることを理解してほしい.

数学I：データの分析

問題 A-9　2 つの変量 X, Y について，それぞれ n 個のデータの値が，$x_1, x_2, x_3, \cdots, x_n,\quad y_1, y_2, y_3, \cdots, y_n$ であるとき，X と Y の共分散 s_{xy} は，$\bar{x}$ を X の平均値，$\bar{y}$ を Y の平均値として，$s_{xy} = \dfrac{1}{n}\displaystyle\sum_{i=1}^{n}(x_i - \bar{x})(y_i - \bar{y})$ で定義されます (n は正の整数).

新たな変量 Z のデータ $z_1, z_2, z_3, \cdots, z_n$ を，a, b を定数として，次の式

$$z_i = ax_i + b \quad (i = 1, 2, \cdots, n)$$

で定めるとき，Y と Z の共分散 s_{yz} は，X と Y の共分散 s_{xy} の何倍になるか求めなさい.

年度	正答率	自信率	誤答率	無答率	期待正答率	教師評価
22	29.5%	14.9%	39.3%	31.2%	70%	29.2%
21	38.4%	17.5%	36.9%	24.6%	70%	30.8%
20	35.0%	18.5%	33.8%	31.2%	70%	25.0%
19	25.6%	11.6%	29.1%	45.3%	70%	26.8%
18	28.7%	12.7%	33.0%	38.3%	70%	26.7%

解答例　$z_i = ax_i + b \quad (i = 1, 2, \cdots, n)$ より，

$$\bar{z} = \frac{1}{n}\sum_{i=1}^{n} z_i = \frac{1}{n}\sum_{i=1}^{n}(ax_i + b) = a \cdot \frac{1}{n}\sum_{i=1}^{n} x_i + b = a\bar{x} + b$$

$$\begin{aligned}(y_i - \bar{y})(z_i - \bar{z}) &= (y_i - \bar{y})\{(ax_i + b) - (a\bar{x} + b)\} \\ &= a(x_i - \bar{x})(y_i - \bar{y})\end{aligned}$$

であるから,

$$
\begin{aligned}
s_{yz} &= \frac{1}{n}\sum_{i=1}^{n}(y_i-\bar{y})(z_i-\bar{z}) = \frac{1}{n}\sum_{i=1}^{n}a(x_i-\bar{x})(y_i-\bar{y}) \\
&= a\cdot\frac{1}{n}\sum_{i=1}^{n}(x_i-\bar{x})(y_i-\bar{y}) = a\cdot s_{xy}
\end{aligned}
$$

より, $s_{yz}=a\cdot s_{xy}$.　　　よって, s_{yz} は s_{xy} の a 倍である.

解説　誤答率は 2021 年度と同じ程度だったが, 正答率は 2021 年度よりも 10% 低い. 無回答率は, 6.6% 増の 31.2% と, およそ 3 分の 1 の受験生が白紙のままであったということである. 「とりあえず何かかこう」と考える受験生が多い中, 白紙であるということは,

(1)　共分散の定義式を覚えていない.

(2)　共分散の定義式を覚えていても, どのように式変形すればいいのかわからず, かつ推測して文章で説明することもできなかった.

のいずれかと考えられる. 数学 I の教科書をみると共分散の定義式はかかれているものの, $(x_i-\bar{x})(y_i-\bar{y})$ の符号についての説明が重点的にされており, この値自体を考えさせる例題がないため, 共分散の値について考えることがなかったのであろう. また和の記号 $\sum$ は数学 B の内容であり, 2 教科融合の問題であることも難しさの原因であろう. 共分散は $\sum$ を用いた式で表され, 解答例の 2 行目や 6 行目 7 行目の

$$
\frac{1}{n}\sum_{i=1}^{n}(ax_i+b) = a\cdot\frac{1}{n}\sum_{i=1}^{n}x_i+b
$$

$$
\frac{1}{n}\sum_{i=1}^{n}a(x_i-\bar{x})(y_i-\bar{y}) = a\cdot\frac{1}{n}\sum_{i=1}^{n}(x_i-\bar{x})(y_i-\bar{y})
$$

など, $\sum$ の性質を用いて式変形するため, $\sum$ の性質をきちんと扱えない者は正答にならなかったと考えられる. あるいは, 「a 倍になる」と推測はしたが, 式を用いて十分に表現できず, 誤答になった場合もあると思われる.

数学I：データの分析

問題 D-7　ある母集団の平均は5で，標準偏差は1である．この母集団の各要素に10を加えたとき，平均と標準偏差はつぎのどれになりますか．

(ア)　平均15，標準偏差1　　(イ)　平均15，標準偏差5
(ウ)　平均15，標準偏差11　　(エ)　平均10，標準偏差1
(オ)　平均10，標準偏差5

反応率

年度	ア	イ	ウ	エ	オ
22	69.6%	11.4%	6.2%	4.6%	6.8%
21	65.0%	14.9%	6.4%	5.6%	6.9%
20	72.2%	8.9%	6.6%	5.1%	6.6%
19	68.9%	14.0%	5.7%	5.2%	5.7%
18	66.3%	12.7%	7.0%	5.6%	7.8%

年度	正答率	自信率	誤答率	無答率	期待正答率	教師評価	SIMS
22	69.6%	23.6%	29.0%	1.4%	80%	38.7%	53.1%
21	65.0%	20.8%	33.9%	1.1%	80%	45.3%	
20	72.2%	29.4%	27.1%	0.7%	80%	47.7%	
19	68.9%	21.6%	30.6%	0.5%	80%	42.6%	
18	66.3%	19.6%	33.0%	0.6%	80%	43.4%	

解答例　n 個の値からなるデータがあるとき，このデータの個々の値を $x_1, x_2, \cdots, x_n$ と表す．

平均値 $\bar{x}$ は，これらの総和を n で割った値であるから $\bar{x} = \dfrac{1}{n}\displaystyle\sum_{i=1}^{n} x_i$ と

表すことができる．このことから，もとの母集団の各要素に 10 を加えたとき，$x_i + 10 = y_i$ とすると

$$\begin{aligned}\bar{y} &= \frac{1}{n}\sum_{i=1}^{n} y_i = \frac{1}{n}\sum_{i=1}^{n}(x_i + 10)\\ &= \frac{1}{n}\sum_{i=1}^{n} x_i + \frac{1}{n}\sum_{i=1}^{n} 10 = \bar{x} + \frac{1}{n} \times 10n = \bar{x} + 10\end{aligned}$$

よって，$\bar{x} = 5$ より，求める平均は $5 + 10 = 15$

さらに，もとの平均 $\bar{x}$ を用いて，その標準偏差 S_x は

$$S_x^2 = \frac{1}{n}\sum_{i=1}^{n}(x_i - \bar{x})^2$$

したがって，このもとの母集団の各要素に 10 を加えたとき，求める標準偏差を S_y とすると

$$\begin{aligned}S_y^2 &= \frac{1}{n}\sum_{i=1}^{n}(y_i - \bar{y})^2 = \frac{1}{n}\sum_{i=1}^{n}(x_i + 10 - \bar{x} - 10)^2\\ &= \frac{1}{n}\sum_{i=1}^{n}(x_i - \bar{x})^2 = S_x^2\end{aligned}$$

よって，$S_x = S_y$ となり，標準偏差は 1 となる．

したがって，平均 15，標準偏差 1　……（答）（ア）

解説　平均の値 10, 15 を縦に，標準偏差の値 1, 5, 11 を横に並べた表を作る．この表をみると，平均を正答である 15 と考えた生徒が 87.2%，標準偏差を正答である 1 と考えた生徒が 74.2% であり，平均の方が正解率はよいことがわかる．平均は小学生のときから学んでいる一方，標準偏差は一般には高校 1 年で学ぶため，標準偏差の定着が不十分であることが正答率の低い理由の 1 つと考えられる．

平均＼標準偏差	1	5	11	計
10	4.6%	6.8%	—	11.4%
15	69.6%	11.4%	6.2%	87.2%
計	74.2%	18.2%	6.2%	98.6%

数学 A：場合の数と確率

問題 A-5　2つの独立した警報装置を備えた警報システムがあります．非常の際に各装置が作動する確率は，それぞれ 0.95, 0.90 です．非常の際には少なくとも1つの装置が作動する確率は，つぎのどれですか．

(ア)　0.995　　(イ)　0.975　　(ウ)　0.95
(エ)　0.90　　(オ)　0.855

反応率

年度	ア	イ	ウ	エ	オ
22	72.0%	9.6%	5.3%	3.6%	9.1%
21	73.2%	7.7%	6.2%	2.9%	9.7%
20	70.3%	8.2%	6.1%	4.2%	11.0%
19	68.4%	8.0%	6.8%	4.5%	11.9%
18	69.8%	8.6%	6.6%	4.8%	10.1%

年度	正答率	自信率	誤答率	無答率	期待正答率	教師評価	SIMS
22	72.0%	49.3%	27.6%	0.4%	80%	53.4%	55.5%
21	73.2%	51.9%	26.4%	0.4%	80%	50.2%	
20	70.3%	48.7%	29.5%	0.2%	80%	53.9%	
19	68.4%	44.9%	31.2%	0.4%	80%	59.5%	
18	69.8%	45.1%	30.1%	0.1%	80%	55.5%	

解答例　2つの警報システムが作動しない確率は，それぞれ $1-0.95$, $1-0.90$ なので，2つの警報システムがともに作動しない確率は

$$(1-0.95)\times(1-0.90)=0.05\times0.1=0.005$$

である．

「2つの警報システムのうち少なくとも1つの装置が作動する」という事象は,「2つとも作動しない」事象の余事象であるから, 求める確率は

$$1-0.005=0.995 \quad \cdots\cdots(\text{答})\ (\text{ア})$$

別解　装置が作動する事象をそれぞれ A, B とすると,

$$P(A)=0.95, \quad P(B)=0.90$$

少なくとも1つの装置が作動する確率は,

$$\begin{aligned} P(A\cup B) &= P(A)+P(B)-P(A\cap B) \\ &= 0.95+0.90-0.95\times 0.90 \\ &= 1.85-0.855=0.995 \end{aligned}$$

解説　余事象の確率を問う問題である. 正答率は教師評価 53.4% を大きく上回り, 過去5年間で2番目に高い 72.0% となった.

問題文中に「少なくとも〜」という文章があることから,「余事象」を考えればよいことが想起され, 正答にたどり着けるものと考え, 期待正答率を高めに設定した.

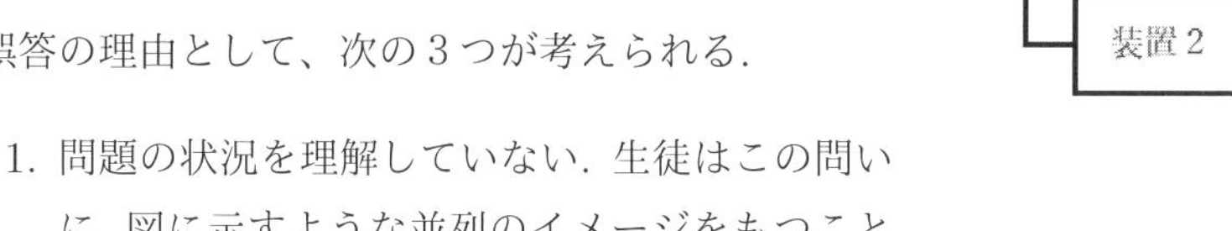

誤答の理由として、次の3つが考えられる.

1. 問題の状況を理解していない. 生徒はこの問いに, 図に示すような並列のイメージをもつことができなったと思われる.
2. 包含関係を理解していない.
3. 余事象の理解・計算の技能が身についていない.

正答以外の選択肢の反応率において,（オ）が毎年 10% 前後で推移している.（オ）0.855 は, 2つの装置がともに作動する確率 0.95×0.90 の値である. また, 1つの警報システムより2つの方がより警報システムが作動する確率が高くなると考えられるから正解は（ア）または（イ）のいずれかと判断できそうであるが, そのような吟味をしていないのだろう.

数学A：場合の数と確率

問題 B-10　「2つの事象が互いに排反である」とは何か．具体例を用いて説明しなさい．

年度	正答率	自信率	誤答率	無答率	期待正答率	教師評価
22	37.0%	9.2%	42.9%	20.1%	70%	36.8%
21	31.8%	7.9%	47.2%	20.9%	70%	38.3%
20	29.8%	9.9%	53.3%	16.9%	70%	37.1%
19	30.3%	9.3%	47.4%	22.3%	70%	38.3%
18	35.2%	8.6%	44.0%	20.8%	70%	34.9%

解答例　例えば，1個のサイコロを投げる試行において，偶数の目が出る事象を A, 5の目が出る事象を B とする．この2つの事象は同時に起こらない．このような場合，A, B は互いに排反であるという．

解説　本問は数学的な用語の意味，定義に関わる問題である．

今回の調査において，記述問題12題に限ると，本問は正答率は下から6番目であるが，自信率は最も低い．したがって，できた割には最も自信が持てない問題といえる．原因として，このような問題はあまり試験に出題されず，また，記憶に頼らざるを得ず，さらに検算のしようがないことが考えられる．

解答例では，1個のサイコロを投げる試行で説明した．その他，コインやトランプを用いた試行などが考えられる．

生徒の誤答をみると

・「事象」とはいえないことで説明しようとしているもの（例えば「確率」で説明しているもの）

・「独立」と混同しているもの

が多い．「知識・理解」を確かめる問題として，普段の授業でも利用できると思われる．

「互いに排反である」について，教科書などでは次のように説明している．事象 A, B において，A と B がともに起こる事象を A と B の積事象といい，$A \cap B$ で表す．また，A または B が起こる事象を A と B の和事象といい，$A \cup B$ で表す．

事象 A と事象 B の積集合が空事象であるとき，すなわち

$$A \cap B = \phi$$

であるとき，A と B は互いに排反である，または排反事象であるという．

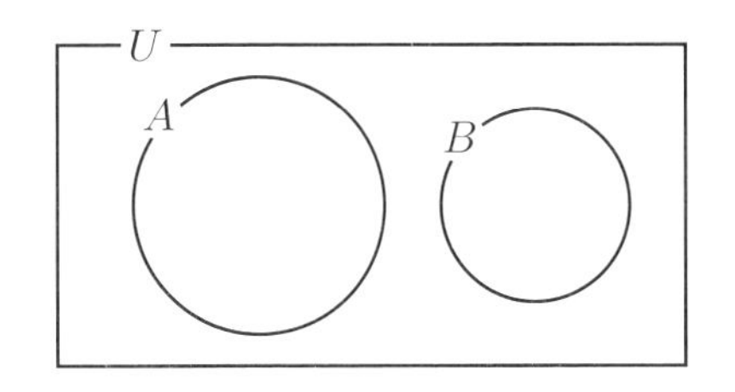

このとき，つぎの式が成り立つ．

$$n(A \cap B) = n(\phi) = 0$$

また，事象 A と事象 B の和事象について，一般に

$$n(A \cup B) = n(A) + n(B) - n(A \cap B)$$

であることから，A と B が互いに排反であるときには，

$$n(A \cup B) = n(A) + n(B)$$

である．これらの考え方は確率を求める際にも用いられる．排反事象は積事象，和事象いずれにも関わる事象である．

近年，教育界では「表現力」がよく話題に上がる．科学的な議論において，定義がわかる，表現できることはその根幹ともいえる．よりよい学びのためにも，今後このような問題の重要性は増すことが考えられる．

I・A

数学 A：整数の性質

問題 C-8　n が自然数で，$5^{2n}+5^n$ が 13 で割り切れるとき，n はどのような数ですか．答えはつぎの中から選びなさい．

(ア)　$n=2$ だけ　　(イ)　n は負でない偶数

(ウ)　$n=8p+2$（p は負でない整数）

(エ)　$n=4p+2$（p は負でない整数）

(オ)　そのような n はない．

反応率

年度	ア	イ	ウ	エ	オ
22	23.7%	9.6%	15.1%	37.1%	12.1%
21	23.1%	10.3%	13.9%	36.4%	14.0%
20	20.4%	8.8%	14.6%	38.6%	15.3%
19	21.2%	9.9%	14.0%	37.9%	13.7%
18	21.9%	12.5%	11.4%	36.3%	15.7%

年度	正答率	自信率	誤答率	無答率	期待正答率	教師評価	SIMS
22	37.1%	13.8%	60.5%	2.3%	50%	32.1%	30.1%
21	36.4%	10.8%	61.4%	2.2%	50%	30.3%	
20	38.6%	12.5%	59.1%	2.3%	50%	33.8%	
19	37.9%	10.4%	58.9%	3.2%	50%	29.6%	
18	36.3%	10.1%	61.4%	2.3%	50%	35.0%	

解答例　（整数 $a-b$ が 13 で割り切れるとき　$a\equiv b \pmod{13}$ と表す）

$5^{2n}+5^n=5^n(5^n+1)$ であり，5^n と 13 は互いに素である．

よって，5^n+1 が 13 で割り切れるような n を求めればよい．

$n=1$ のとき，$5^1\equiv 5 \pmod{13}$

$n=2$ のとき，$5^2=25\equiv 12 \pmod{13}$

$n=3$ のとき, $5^3=5^2\cdot 5\equiv 12\cdot 5=60\equiv 8 \pmod{13}$
$n=4$ のとき, $5^4=5^3\cdot 5\equiv 8\cdot 5=40\equiv 1 \pmod{13}$
$n=5$ のとき, $5^5=5^4\cdot 5\equiv 1\cdot 5=5 \pmod{13}$
よって, 5^n+1 が 13 で割ったときのあまりは

$6,\ 0,\ 9,\ 2,\ 6,\ 0,\ 9,\ 2,\ \cdots\cdots$

5^n+1 が 13 で割り切れるような n は $n=2,\ 6,\ 10,\ \cdots\cdots$
したがって, 与式が 13 で割り切れるのは
$n=4p+2$（p は負でない整数）のとき.　……**（答）（エ）**

別解　$5^{2n}+5^n\equiv 0 \pmod{13}$,　　$5^n(5^n+1)\equiv 0 \pmod{13}$
5^n と 13 は互いに素だから

$5^n+1\equiv 0 \pmod{13}$,　　$5^n\equiv -1 \pmod{13}$

ここで, $5^2\equiv -1 \pmod{13}$ であり, 負でない整数 p に対して

$5^{2(2p+1)}\equiv (-1)^{2p+1}=-1 \pmod{13}$

よって, $5^{4p+2}\equiv -1 \pmod{13}$ より

$n=4p+2$　……**（答）（エ）**

解説　5^n は 13 では割り切れないことに気づけば, 5^n+1 が 13 で割り切れるか否か調べればよく, ここに気づかないと正解にたどり着くのは難しい.

「整数の性質」は 2012 年入学生より実施された学習指導要領から数学 A に設けられた. 本調査ではそれ以前からこの問題を出題しており, 近年 5 年間の正答率は, 以前の正答率（2010 年度 30.8%, 2011 年度 31.9%, 2012 年度 30.0%, 2013 年度 32.7%）よりも向上していることが確認できる. 「整数の性質」が数学 A に導入された結果が出ていると思われる. 2019 年度は無答率が 3% 台に上がったが, 再び 2% 台に下がっている. また, 正答率が 37.1% に上昇しているが, 自信率も 2021 年度に比べ 3% 近く上昇しており自信をもって解答していることが分かる.

4．2　数学Ⅱ・Bの問題

数学Ⅱ：図形と方程式

問題 A-8　直線 l の方程式は $ax+by=0$, 直線 m の方程式は $px+qy+r=0$ $(r \neq 0)$ です．l と m が点 P で交わるとき，
方程式 $(a+p)x+(b+q)y+r=0$
の表す直線について，つぎのどれがあてはまりますか．
ただし，O は原点とします．

(ア)　l と m の両方に垂直である．
(イ)　l, m と二等辺三角形を作る．
(ウ)　OP に平行である．
(エ)　O を通る．
(オ)　P を通る．

反応率

年度	ア	イ	ウ	エ	オ
22	8.0%	24.2%	13.9%	3.8%	48.3%
21	7.0%	24.7%	13.9%	2.9%	50.7%
20	6.7%	24.9%	14.4%	3.5%	49.2%
19	8.6%	27.5%	13.0%	3.7%	43.8%
18	7.8%	25.6%	13.6%	4.7%	46.6%

年度	正答率	自信率	誤答率	無答率	期待正答率	教師評価	SIMS
22	48.3%	16.9%	49.8%	1.9%	75%	37.6%	44.8%
21	50.7%	14.8%	48.5%	0.8%	75%	37.7%	
20	49.2%	15.1%	49.5%	1.3%	75%	40.7%	
19	43.8%	12.1%	52.8%	3.4%	75%	34.6%	
18	46.6%	13.1%	51.7%	1.7%	75%	40.8%	

解答例　2直線 l と m の交点Pの座標を $(x_0,\ y_0)$ とすると

$$ax_0+by_0=0\cdots\cdots①,\quad px_0+qy_0+r=0\cdots\cdots②$$

である．①+②より

$$(ax_0+by_0)+(px_0+qy_0+r)=0\cdots\cdots③$$

$$(a+p)x_0+(b+q)y_0+r=0$$

これは直線 $(a+p)x+(b+q)y+r=0$ が点 $\mathrm{P}(x_0,\ y_0)$ を通ることを表している．……（答）（オ）

解説　正答率48.3%, 自信率16.9%であり, 過去5年間の推移をみると3番目の正答率となっている．抽象的な問題のためか, 教師評価は37.6%は例年とあまり変わらない．

直線は平面上の点の集合であり, 2直線の交点は両方の直線上にある点である．解答例の③式は, x_0, y_0 に関して1次式であり, 2直線の式から導かれた式は, 両方の直線上にある点, すなわち2直線の交点を通る．教科書には「直線 l と直線 m の交点と点 $(-1,\ 3)$ を通る直線を求めよ」のような例題があり, 直線 l の式に直線 m の式を k 倍して2つの式を加える直線束の考え方を用いて解く．この考え方は2直線の場合だけでなく, 直線と円, 円と円の場合など, さまざまな場合に利用できるので, それらの位置関係に関連させて指導したい．

類題　2直線

$$4x+3y-12=0\cdots\cdots①$$

$$5x+4y-6=0\quad\cdots\cdots②$$

の交点と原点を通る直線の方程式を求めよ．

答：$6x+5y=0$

Ⅱ·B

数学Ⅱ：指数・対数関数

問題 B-1　$10^a = 4$ のとき, 10^{1+2a} の値は, つぎのどれですか.

(ア)　26　(イ)　40　(ウ)　160
(エ)　900　(オ)　10^9

反応率

年度	ア	イ	ウ	エ	オ
22	9.8%	3.2%	82.8%	0.8%	3.0%
21	10.0%	3.0%	82.5%	1.5%	2.9%
20	9.5%	1.8%	84.5%	1.4%	2.7%
19	8.5%	4.2%	83.1%	1.1%	2.7%
18	8.7%	2.7%	84.0%	1.1%	3.2%

年度	正答率	自信率	誤答率	無答率	期待正答率	教師評価	SIMS
22	82.8%	61.2%	16.8%	0.3%	85%	66.2%	75.0%
21	82.5%	60.2%	17.3%	0.2%	85%	67.3%	
20	84.5%	61.6%	15.3%	0.2%	85%	64.5%	
19	83.1%	61.9%	16.4%	0.5%	85%	69.9%	
18	84.0%	56.8%	15.7%	0.3%	85%	65.5%	

解答例

$$
\begin{aligned}
10^{1+2a} &= 10^1 \times 10^{2a} \\
&= 10 \times (10^a)^2 \\
&= 10 \times 4^2 \\
&= 10 \times 16 \\
&= 160 \quad \cdots\cdots \quad \text{（答）（ウ）}
\end{aligned}
$$

解説　指数法則を理解して, 適切に利用できるかを問う問題である.
また, 両辺に常用対数をとって考えることもできる.

$$\log_{10} 10^a = \log_{10} 4 \quad \text{より} \quad a = \log_{10} 4$$

$$10^{1+2a} = 10^{1+2\log_{10} 4} = 10 \times 10^{\log_{10} 4^2} = 10 \times 16 = 160$$

正答率が 82.8% と期待正答率 85% に近い正答率を維持している問いである.
一方, 自信率は 61.2% と指数の扱いに自信がない様子がみられる.
（ア）と選択した者は, $10^{1+2a} = 10 + 10^{2a}$ としてしまった結果と考えられる.

数学Ⅱ：指数・対数関数

問題 C-10 $\dfrac{3}{2}$, $\log_3 0.6$, $\log_3 4$, $\log_4 3$ の大小関係を調べ, 小さい順に並べなさい.

Ⅱ·B

年度	正答率	自信率	誤答率	無答率	期待正答率	教師評価
22	51.6%	18.4%	40.4%	8.0%	50%	45.7%
21	10.6%	4.8%	89.4%	0.0%	50%	42.7%
20	42.4%	16.9%	52.9%	4.7%	50%	43.8%
19	15.6%	8.6%	78.8%	5.6%	50%	47.8%
18	54.0%	20.4%	40.8%	5.3%	50%	45.5%

解答例 (底)$=3>1$ より $\log_3 0.6 < \log_3 1 = 0$ ……①

また, (底)$=4>1$ より $\log_4 1 < \log_4 3 < \log_4 4$

$\therefore \quad 0 < \log_4 3 < 1$ ……②

さらに, $4=\sqrt{16}$, $3\sqrt{3}=\sqrt{27}$ から, $3<4<3\sqrt{3}$ であり,

(底)$=3>1$ から $\log_3 3 < \log_3 4 < \log_3 3\sqrt{3}$

$\log_3 3\sqrt{3} = \log_3 3^{\frac{3}{2}} = \dfrac{3}{2}$ より $1 < \log_3 4 < \dfrac{3}{2}$ ……③

①～③より $\log_3 0.6 < 0 < \log_4 3 < 1 < \log_3 4 < \dfrac{3}{2}$

$\log_3 0.6 < \log_4 3 < \log_3 4 < \dfrac{3}{2}$ ……（答）

別解 $y=\log_a x$ のグラフは $a>1$ のとき, 図のような増加関数だから

(i) $a<x$ のとき $\log_a a = 1 < \log_a x$ より

$\log_3 4 > 1, \qquad \log_4 3 < 1$

(ii)　$0 < x < 1$ のとき

$\log_a x < \log_a 1 = 0$ より

$\log_3 0.6 < 0, \quad \log_4 3 > 0$

$\log_3 0.6 < 0 < \log_4 3 < 1 < \log_3 4$

$\dfrac{3}{2} > 1, \quad \log_3 4 > 1$ で

$3^{\frac{3}{2}} = \sqrt{27} > \sqrt{16} = 4$ より

$1 < \log_3 4 < \dfrac{3}{2}$

$\therefore \quad \log_3 0.6 < \log_4 3 < \log_3 4 < \dfrac{3}{2}$　……（答）

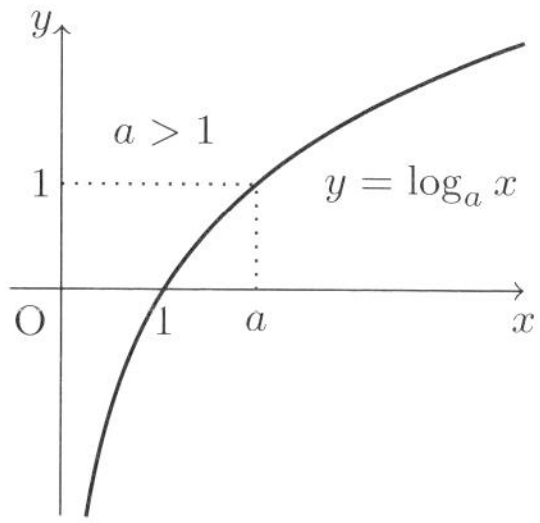

y
a > 1
1
y = log_a x
O　1　a　x

解説　与えられた対数の値の大小を比較する問題である．その対数の値と 0 や 1 との大小関係を考えるとおおよその目星をつけやすい．

$\log_3 0.4$ と $\log_4 3$ はともに 1 より小さいことはわかっても，その大小について判断できなかった生徒が一定数いることが考えられる．底が 1 より大きいとき，真数 > 1 であればその対数は正，真数 < 1 であればその対数は負となる．これはグラフをイメージすればすぐわかることである．グラフと関連させながら対数の性質をまとめるといった指導の工夫が必要であろう．

数学 II：指数・対数関数

問題 D-8　x, y は正の実数で，$y = 4x^3$ とします．

$\log y$ を x 座標，$\log x$ を y 座標とする点の集合は，つぎのどれになりますか．

(ア)　1点　(イ)　3次曲線　(ウ)　放物線

(エ)　直線　(オ)　指数関数の表す曲線

反応率

年度	ア	イ	ウ	エ	オ
22	2.9%	13.6%	20.4%	31.6%	29.8%
21	3.9%	13.6%	17.3%	34.3%	29.9%
20	2.0%	13.6%	19.6%	35.8%	26.2%
19	3.4%	16.5%	15.8%	32.2%	30.7%
18	3.2%	14.6%	18.6%	35.1%	27.1%

年度	正答率	自信率	誤答率	無答率	期待正答率	教師評価	SIMS
22	31.6%	12.3%	66.7%	1.7%	60%	34.8%	38.1%
21	34.3%	12.2%	64.7%	0.9%	60%	36.4%	
20	35.8%	12.8%	61.4%	2.8%	60%	39.3%	
19	32.2%	10.7%	66.5%	1.3%	60%	34.2%	
18	35.1%	12.7%	63.5%	1.5%	60%	39.8%	

解答例　$x > 0$, $y > 0$ より，$y = 4x^3$ の両辺の常用対数をとると

$\log y = \log 4x^3$ より　$\log y = \log 4 + 3\log x$　……①

ここで，$\log y = X$, $\log x = Y$ とおくと，上の①は

$$X = 3Y + \log 4 \iff Y = \frac{1}{3}X - \frac{2}{3}\log 2$$

これは直線の方程式である．　……（答）（エ）

解説　22 年度の学力調査においても 21 年度と同様，SIMS の正答率より低い結果となった．

x 座標，y 座標を変数変換して点の軌跡を求める問題は，よく扱われる内容である．それなのに正答率が低いのは教科書の単元配列が影響していることが考えられる．数学 II の教科書では一般的に点の軌跡の方程式について学習する「図形と方程式」は「指数関数と対数関数」よりも前の単元であるため，対数の性質を用いて点の軌跡の方程式を求める問題にふれる機会が少なかったのではないだろうか．

類題　$n = 2,\ 3,\ 4, \cdots\cdots$ において，$2a_n^3 = a_{n-1}^4$ の一般項 a_n を a_1 で表せ．ただし，$a_1 > 0$ とする．

答：$a_n = 2\left(\dfrac{a_1}{2}\right)^{\left(\frac{4}{3}\right)^{n-1}}$

数学 II：三角関数

問題 A-10　$0 \leqq x < 2\pi$ のとき, 方程式 $\sin x + \tan x + \sin x \tan x + 1 = 0$ を次のように解いたとします.

$(\sin x + 1)(\tan x + 1) = 0$

$\sin x + 1 = 0$　または　$\tan x + 1 = 0$

$0 \leqq x < 2\pi$ のとき　$\sin x = -1$ より $x = \dfrac{3\pi}{2}$

$\tan x = -1$ より $x = \dfrac{3\pi}{4}, \dfrac{7\pi}{4}$

すなわち　$x = \dfrac{3\pi}{4}, \dfrac{3\pi}{2}, \dfrac{7\pi}{4}$　$\cdots\cdots$(答)

上記の解答が正しければ「正しい」と書き, 正しくなければその理由を説明し, さらに正答を出して下さい.

年度	正答率	自信率	誤答率	無答率	期待正答率	教師評価
22	35.6%	14.6%	56.2%	8.2%	70%	40.2%
21	38.0%	13.9%	55.3%	6.7%	70%	38.8%
20	35.3%	13.9%	57.1%	7.6%	70%	36.6%
19	25.4%	10.6%	69.1%	5.5%	70%	40.6%

解答例　$0 \leqq x < 2\pi$ のとき, $x = \dfrac{\pi}{2}, \dfrac{3\pi}{2}$ において, $\tan x$ は定義されないので, $x = \dfrac{3\pi}{2}$ は与えられた方程式を満たさず, 解ではない.

よって, 求める解は $x = \dfrac{3\pi}{4}, \dfrac{7\pi}{4}$　$\cdots\cdots$(答)

解説　19年度調査から出題しはじめた問題で, 正答率は35.6%であった.

この問いは, 方程式を解かせるのではなく, 誤りを見つけて正すという問題で, 解きなれていない受験者も多くいたと考える. 誤答として「正しい」と記す受験者も見られたが, 正答者はすぐに「$x=\dfrac{3\pi}{2}$ では $\tan x$ の値が存在しない」ことに気づいていた様子が見受けられた.

$\tan x=\dfrac{\sin x}{\cos x}$ から両辺を $\cos x$ 倍して分母をはらい, 解答を考える方法もあるが, その際, $\cos x\neq 0$ の条件を見落としているため正答に至らない答案もあった.

たとえば, 関数 $y=\dfrac{1}{x}$ や $y=\sqrt{x}$ に対して, それぞれ $x\neq 0$ や $x\geqq 0$ は前提だが, 普通, 問題文には書かれていない. 書かれていなくても定義域を意識させる指導は大切である. 三角方程式に限らず高等学校での方程式・不等式の解法では, 必要十分条件で変形しているのか否かを常に意識させる必要があろう. 方程式・不等式によっては場合分けや条件を付けて変形していくものもあるので, 機会を見て以下のような問題も取り上げながら指導したいものである.

類題　a を実数の定数とする. このとき, つぎの方程式・不等式を解け.

(1)　$ax^2+(a^2-1)x-a=0$　　(2)　$\log_2 x-6\log_x 2\geqq 1$

答：(1)　$a\neq 0$ のとき, $x=\dfrac{1}{a},\ -a.$　　$a=0$ のとき, $x=0.$

(2)　$\dfrac{1}{4}\leqq x<1,\ 8\leqq x.$

Ⅱ・B

数学Ⅱ：三角関数

問題 D-4　θ は, 90° と 180° の間の角で, $\cos^2\theta = \dfrac{16}{25}$ です.

$\sin 2\theta$ の値は, つぎのどれですか.

(ア)　$-\dfrac{24}{25}$　　(イ)　$-\dfrac{15}{25}$　　(ウ)　$-\dfrac{7}{25}$

(エ)　$\dfrac{7}{25}$　　(オ)　$\dfrac{24}{25}$

Ⅱ・B

反応率

年度	ア	イ	ウ	エ	オ
22	69.2%	1.8%	4.7%	6.5%	17.0%
21	71.3%	1.7%	3.6%	5.1%	17.6%
20	69.7%	2.6%	4.9%	5.8%	16.9%
19	70.4%	1.9%	5.4%	6.3%	15.8%
18	69.5%	2.3%	5.0%	6.2%	16.6%

年度	正答率	自信率	誤答率	無答率	期待正答率	教師評価	SIMS
22	69.2%	54.6%	30.1%	0.7%	75%	63.0%	50.0%
21	71.3%	57.3%	28.1%	0.6%	75%	59.8%	
20	69.7%	56.2%	30.2%	0.1%	75%	61.6%	
19	70.4%	56.2%	29.5%	0.1%	75%	65.6%	
18	69.5%	53.6%	30.1%	0.4%	75%	66.2%	

解答例　与式より　　$\cos\theta = \pm\sqrt{\dfrac{16}{25}} = \pm\dfrac{4}{5}$

$90^\circ < \theta < 180^\circ$ より

$\cos\theta < 0,\ \sin\theta > 0$ となり

$$\cos\theta = -\frac{4}{5},$$
$$\sin\theta = \sqrt{1-\cos^2\theta} = \frac{3}{5}$$

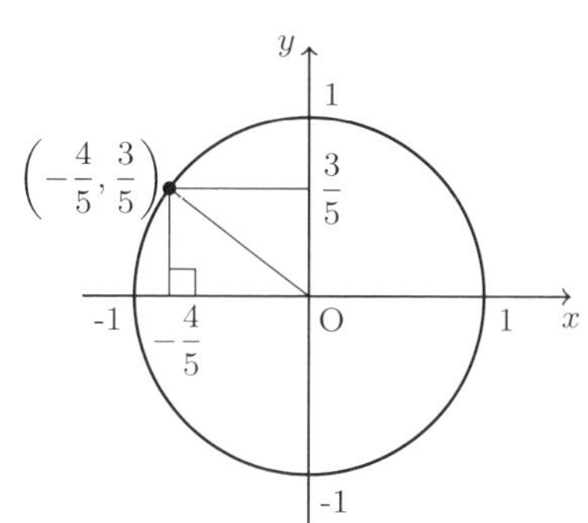

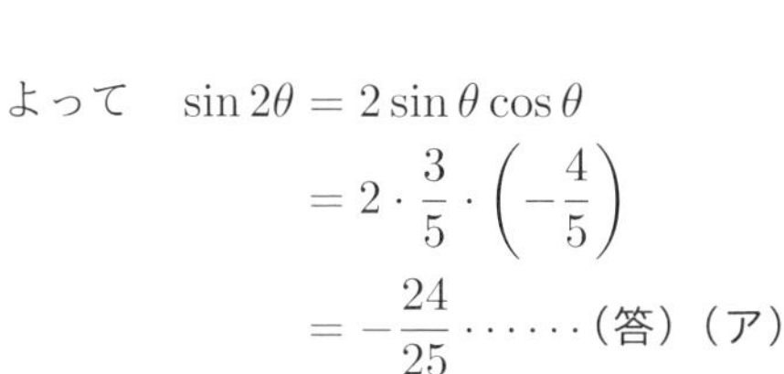

よって　$\sin 2\theta = 2\sin\theta\cos\theta$
$$= 2\cdot\frac{3}{5}\cdot\left(-\frac{4}{5}\right)$$
$$= -\frac{24}{25}$$ ……（答）（ア）

別解　$\cos 2\theta = 2\cos^2\theta - 1 = \frac{7}{25}$ より $\sin^2 2\theta = 1 - \cos^2 2\theta = \frac{576}{625}$

$90^\circ < \theta < 180^\circ$ より　$180^\circ < 2\theta < 360^\circ$

なので $\sin 2\theta < 0$ であるから

$$\sin 2\theta = -\sqrt{\frac{576}{625}} = -\frac{24}{25}$$ ……（答）（ア）

解説　三角関数の定義, 相互関係および2倍角の公式の問題である. 本問は三角関数の2倍角の公式を使う基本的な問題であるので, 理数系高校生は自信をもって答えられるようにしたい. 誤答の2分の1以上を占める（オ）は θ の変域を確認していないために間違えたと考えられる.

変域の確認はこの分野に限らず大切なのでできてほしい.

数学 II：微分・積分

問題 B-2　関数 $y = 3x^2 - x^3$ のグラフをかくとき，この関数の極小値を示す点の座標は，つぎのどれですか．

(ア)　(2, 4)　　(イ)　(3, 0)　　(ウ)　(1, 2)
(エ)　(0, 3)　　(オ)　(0, 0)

II・B

反応率

年度	ア	イ	ウ	エ	オ
22	7.5%	4.4%	2.4%	2.5%	82.9%
21	10.1%	4.4%	2.2%	2.2%	81.0%
20	7.5%	3.5%	2.6%	1.4%	84.7%
19	9.4%	4.6%	2.2%	1.3%	82.0%
18	8.8%	3.8%	2.9%	2.2%	82.0%

年度	正答率	自信率	誤答率	無答率	期待正答率	教師評価	SIMS
22	82.9%	63.5%	16.8%	0.2%	90%	75.3%	73.8%
21	81.0%	66.4%	18.8%	0.2%	90%	76.4%	
20	84.7%	63.8%	15.0%	0.3%	90%	75.9%	
19	82.0%	63.6%	17.6%	0.4%	90%	81.5%	
18	82.0%	63.3%	17.7%	0.3%	90%	76.6%	

解答例

$$y = 3x^2 - x^3$$

を微分して

$$y' = 6x - 3x^2 = -3x(x-2)$$

増減表はつぎのようになる．

x	$\cdots$	0	$\cdots$	2	$\cdots$
y'	$-$	0	$+$	0	$-$
y	↘	0 極小	↗	4 極大	↘

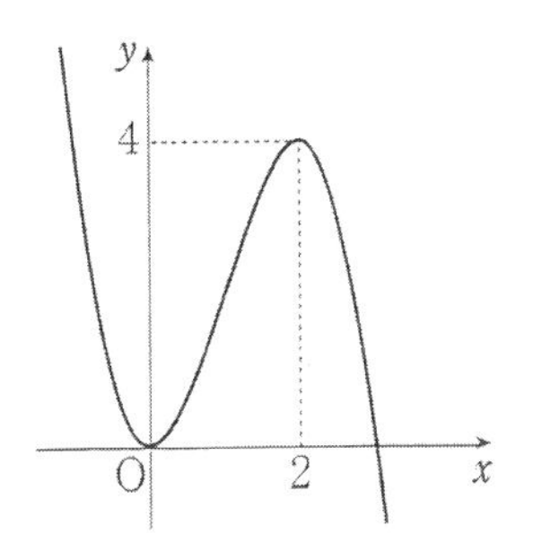

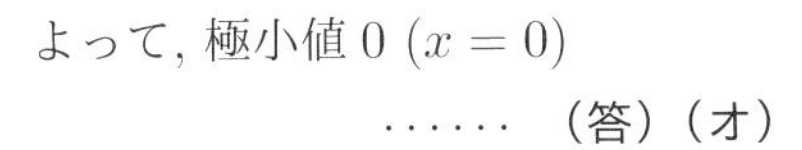

よって, 極小値 0 $(x=0)$

$\cdots\cdots$ **（答）（オ）**

解説　3 次関数の微分の問題である．毎回の正答率はほぼ 80% 程度であるが, 単純な問題なのでもっとできてほしい．(ア) の誤答が他に比べて多いのは, x^3 の係数が正で極値ありの 3 次関数のグラフと混同したのだろう．

計算処理の正確さとともに, グラフをイメージして考察することも大切にしたい．

Ⅱ·B

数学 II：微分・積分

問題 C-2　$3f'(x) = x^2 - 5$ で，$f(2) = 1$ のとき，$f(0)$ の値はつぎのどれですか.

(ア)　$-\frac{5}{3}$　　(イ)　$-\frac{2}{3}$　　(ウ)　$\frac{1}{3}$

(エ)　$\frac{25}{9}$　　(オ)　$\frac{31}{9}$

反応率

年度	ア	イ	ウ	エ	オ
22	7.5%	3.5%	5.2%	7.7%	74.9%
21	5.7%	3.1%	4.4%	7.8%	78.3%
20	7.4%	4.0%	3.4%	7.7%	76.3%
19	6.0%	3.4%	3.3%	6.9%	78.9%
18	6.8%	3.7%	4.7%	8.6%	75.0%

年度	正答率	自信率	誤答率	無答率	期待正答率	教師評価	SIMS
22	74.9%	59.6%	23.9%	1.2%	85%	65.9%	68.1%
21	78.3%	59.5%	21.1%	0.6%	85%	64.8%	
20	76.3%	56.1%	22.5%	1.2%	85%	67.1%	
19	78.9%	58.8%	19.7%	1.4%	85%	68.7%	
18	75.0%	55.2%	23.8%	1.2%	85%	65.0%	

解答例　$f'(x) = \frac{1}{3}x^2 - \frac{5}{3}$ より，積分定数を C として

$$f(x) = \frac{1}{9}x^3 - \frac{5}{3}x + C$$

を得る.

ここで, $f(2)=1$ より　$C=\dfrac{31}{9}$

$$f(x)=\frac{1}{9}x^3-\frac{5}{3}x+\frac{31}{9}$$

ゆえに　$f(0)=\dfrac{31}{9}$　…… **(答) (オ)**

解説　不定積分を求める問題である. 初期条件もあるので積分定数も求められる.

ここ 5 年, 正答率は 76% 前後で安定している. 単純な不定積分の問題なだけに期待正答率の 85% に近い結果を期待したい.

教師評価より正答率は高く, 自信率も 50% 以上と他の問題と比較して高いことからみても, こうした計算問題は生徒にとって得意な分野であるように思われる.

この出題形式は計算問題だが, グラフが点 $(2,1)$ を通ること, y 軸との交点の y 座標が $f(0)$ であること, その点が変曲点であることなど, できるだけグラフとしてのイメージをもたせたい.

誤答（ア）は $f'(0)$, （エ）は x^2-5 の原始関数を求めて, $f(x)$ と勘違い, あとで, 3 で割ったと思われる.

例えば,

「$f'(x)=\dfrac{1}{3}x^2-\dfrac{5}{3}$ で, $f(2)=1$ のとき, $f(0)$ を求めよ」

というような表現に変えていたら, もっと正答率は上がったかもしれない.

Ⅱ·B

数学Ⅱ：微分・積分

問題 C-7　円柱を右の図のように軸を通る平面で切ると，その切り口は長方形になります．この切り口の長方形の周囲が 6m であるような円柱の中で，最大の体積を持つものの底辺の半径は，つぎのどれですか．

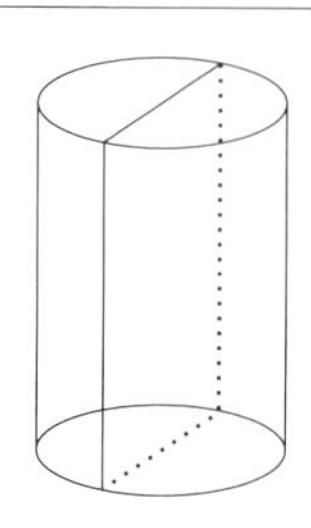

(ア)　2.5m　　(イ)　2m　　(ウ)　1.5m
(エ)　1m　　(オ)　0.5m

Ⅱ·B

反応率

年度	ア	イ	ウ	エ	オ
22	4.0%	18.1%	13.9%	55.7%	7.2%
21	4.2%	15.6%	12.2%	59.2%	8.0%
20	5.1%	16.6%	14.2%	55.8%	7.7%
19	4.7%	17.9%	14.5%	54.9%	6.6%
18	5.0%	17.8%	12.9%	56.7%	7.0%

年度	正答率	自信率	誤答率	無答率	期待正答率	教師評価	SIMS
22	55.7%	33.2%	43.2%	1.1%	75%	42.1%	55.0%
21	59.2%	32.4%	39.9%	0.9%	75%	44.2%	
20	55.8%	30.2%	43.7%	0.5%	75%	46.1%	
19	54.9%	27.5%	43.6%	1.5%	75%	46.5%	
18	56.7%	30.2%	42.6%	0.7%	75%	44.3%	

解答例　円柱の底面の半径を r，高さを h とすると，条件より

$$4r + 2h = 6 \qquad \cdots\cdots ①$$

$$r > 0, h > 0 \text{ より} \quad 0 < r < \frac{3}{2}, \quad 0 < h < 3$$

体積を V とすると

$V = \pi r^2 h$　　　$\cdots\cdots$②

①より　$V = \pi r^2(3-2r)$　　$\cdots\cdots$③

$V' = \pi(6r - 6r^2)$

r	0	$\cdots$	1	$\cdots$	$\frac{3}{2}$
V'	／	+	0	−	／
V		↗	最大	↘	

より, $r = 1$ のとき体積 V は最大となる.　$\cdots\cdots$(答)（エ）

別解　③式の右辺で変数部分 $r^2(3-2r)$ は, $r > 0, \quad 3 - 2r > 0$

ここで, 相加平均, 相乗平均の関係から

$$\sqrt[3]{r^2(3-2r)} = \sqrt[3]{r \cdot r \cdot (3-2r)} \leqq \frac{r + r + (3-2r)}{3} = 1$$

等号は $r = 3 - 2r$ すなわち $r = 1$ のとき成り立つ.

$r = 1$ のとき V は最大となる.　$\cdots\cdots$(答)（エ）

解説　最大・最小に微分法を応用する問題である.

円柱の体積も題材も平易なので 75% の正答を期待したが, 実際の正答率は 55.7% で, 誤答の（イ）は直径を答えたと考えられるが, これを加えても 75% にわずかとどかず物足りない結果となった. もし仮に体積の式②をたてられなくても $0 < r < \frac{3}{2}$ から, 答は（エ）または（オ）しかない. 変数を自分で設定して問題を解決する力を育成することが課題であろう.

参考までに, 相加平均, 相乗平均を用いた別解を掲載した. 最大値, 最小値を求める問題には別解がよくある. 生徒に別解を考えさせることも深い学びにつながる学習になるだろう.

Ⅱ·B

数学B：数　　列

問題 A-1　$a_1 = 1,\ a_{n+1} = a_n + 2n + 1$ で定義される数列の一般項 a_n は，つぎのどれですか．

（ア）　$a_n = 4$　　（イ）　$a_n = 4n+2$　　（ウ）　$a_n = 2n-1$

（エ）　$a_n = 2n + 2$　　（オ）　$a_n = n^2$

反応率

年度	ア	イ	ウ	エ	オ
22	0.5%	2.3%	6.2%	5.4%	85.1%
21	0.4%	2.4%	7.1%	4.6%	85.2%
20	0.4%	1.6%	8.9%	4.3%	84.1%
19	0.4%	1.9%	6.5%	5.8%	84.8%
18	0.6%	2.0%	7.3%	4.9%	84.6%

年度	正答率	自信率	誤答率	無答率	期待正答率	教師評価	SIMS
22	85.1%	66.7%	14.3%	0.5%	90%	64.3%	67.4%
21	85.2%	64.5%	14.5%	0.2%	90%	60.0%	
20	84.1%	62.7%	15.1%	0.8%	90%	56.3%	
19	84.8%	65.2%	14.6%	0.6%	90%	62.3%	
18	84.6%	63.2%	14.8%	0.6%	90%	59.8%	

解答例　与えられた漸化式より

$$a_{n+1} - a_n = 2n + 1$$

よって，$n \geqq 2$ において

$$a_n = a_1 + \sum_{k=1}^{n-1}(2k+1) = 1 + 2 \cdot \frac{1}{2}(n-1)n + (n-1)$$
$$= n^2$$

これは $n=1$ のときも成り立つ.

したがって　$a_n = n^2$　……（答）（オ）

別解　与えられた漸化式より

$$a_1 = 1$$
$$a_2 = a_1 + 3 = 4$$
$$a_3 = a_2 + 5 = 9$$
$$a_4 = a_3 + 7 = 16$$

よって, $a_n = n^2$ と推定する.

$a_1 = 1$ より $n = 1$ のとき成り立つ.

$a_k = k^2$ が成り立つと仮定すれば

$$a_{k+1} = a_k + 2k + 1 = k^2 + 2k + 1 = (k+1)^2$$

より推定は正しい. したがって　$a_n = n^2$　……（答）（オ）

解説　漸化式で定められた数列の一般項を問う問題である. 階差数列とみて解いたり, 別解のような類推から帰納的に求めて選択肢を選んだり,「n 個の奇数の和」の問題としてとらえたり, 図をかいて四角数の考えを利用したりと多様な解法が考えられる.

正答率も期待正答率に近い 85.1% で自信率も 66.7% と高く理数系高校生にとって得意な分野のようである.

その一方で, 教師評価が 64.3% と, 正答率と比較して高いとはいえない. 漸化式は授業であまり扱えないことのあらわれなのかもしれない. 煩雑な漸化式の解法を取り扱うことも大切だが, 本問のような基本的な漸化式の解法は十分に指導しておきたいところである.

数学 B：数　　列

問題 B-9　a を正の実数，n を 2 以上の自然数とするとき，

$$(1+a)^n > 1+na$$

であることを証明しなさい．

年度	正答率	自信率	誤答率	無答率	期待正答率	教師評価
22	55.5%	22.7%	33.8%	10.7%	60%	33.1%
21	38.7%	21.9%	50.1%	11.2%	60%	30.3%
20	34.0%	19.0%	56.6%	9.4%	60%	30.2%
19	38.4%	19.1%	49.2%	12.4%	60%	30.3%
18	37.1%	19.6%	45.4%	17.6%	60%	28.6%

解答例　$n=2$ のとき，$a>0$ より $a^2>0$ なので，

$(1+a)^2 = 1+2a+a^2 > 1+2a$　　が成立する．

k を 2 以上の自然数として，$n=k$ で

$(1+a)^k > 1+ka \quad \cdots \quad (*)$　が成り立つと仮定すると，

$1+a>0$ なので，$(*)$ の両辺を $(1+a)$ 倍して

$$(1+a)\cdot(1+a)^k > (1+a)(1+ka)$$
$$(1+a)^{k+1} > 1+(k+1)a+ka^2$$

$ka^2>0$ より　$1+(k+1)a+ka^2 > 1+(k+1)a$　だから

$$(1+a)^{k+1} > 1+(k+1)a$$

となり，$n=k+1$ でも成立する．よって，数学的帰納法より，2 以上のすべての自然数 n に対して

不等式　$(1+a)^n > 1+na$　　が成立する．

別解　二項定理より

$$
\begin{aligned}
(1+a)^n &= {}_n\mathrm{C}_0 \cdot 1^n + {}_n\mathrm{C}_1 \cdot 1^{n-1}a^1 + {}_n\mathrm{C}_2 \cdot 1^{n-2}a^2 + \cdots + {}_n\mathrm{C}_n \cdot a^n \\
&= 1 + na + \frac{n(n-1)}{2}a^2 + \cdots + a^n
\end{aligned}
$$

ここで，n は2以上の自然数で，$a > 0$ だから

$1 + na + \dfrac{n(n-1)}{2}a^2 + \cdots + a^n > 1 + na$

$\therefore\quad (1+a)^n > 1 + na$

解説　これは教科書の例題にもあるような問題である．今回は「数学B：数列」として分類しているが，生徒の答案でも数学的帰納法を用いた解答以外に，別解のように二項定理を用いた解答例も多かった．その他，a を連続変数と見てグラフや微分を用いた解法も見られた．

$$y = (1+x)^n \quad , \quad y = 1 + nx$$

として，$f(x) = (1+x)^n - (1+nx)$ を考えた場合，

$$
\begin{aligned}
f'(x) &= n(1+x)^{n-1} - n \\
&= n\{(1+x)^{n-1} - 1\} > 0 \quad (\because \quad x > 0)
\end{aligned}
$$

で $x > 0$ で単調増加であり，$f(0) = 0$ より，$x > 0$ で，$f(x) > 0$ であることがわかる．また，$y = 1 + nx$ は，$x = 0$ における接線である．

様々な単元からの解法が考えられるため，思考力を見る問いとしては良い問題である．

a が十分小さい正の数のときには

$$(1+a)^n \fallingdotseq 1 + na$$

といった近似式が様々な場面で利用されている．日頃の授業でも二項定理・数学的帰納法で証明するだけではなく，こうした応用の側面にも触れておきたいものである．

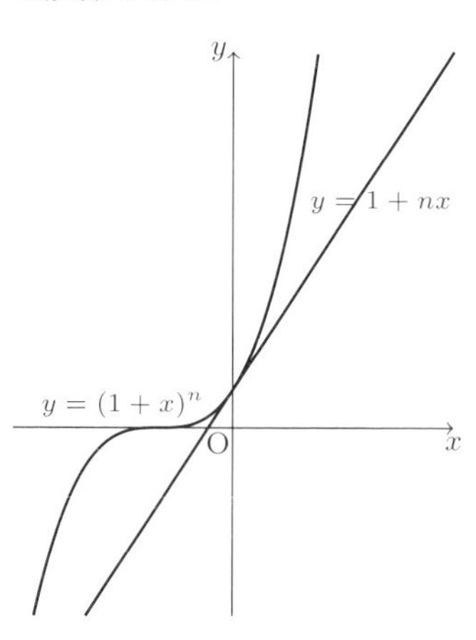

数学 B：ベクトル

問題 A-11　△ OAB において, $\overrightarrow{OA} = \vec{a}$, $\overrightarrow{OB} = \vec{b}$ とします. ベクトル $\overrightarrow{OP}$ を, $\overrightarrow{OP} = x\vec{a} + y\vec{b}$ と定めるとき, 点 P は右図の斜線部および △ OAB の辺上を動くとします. 実数 x, y の満たすべき条件を求めなさい.

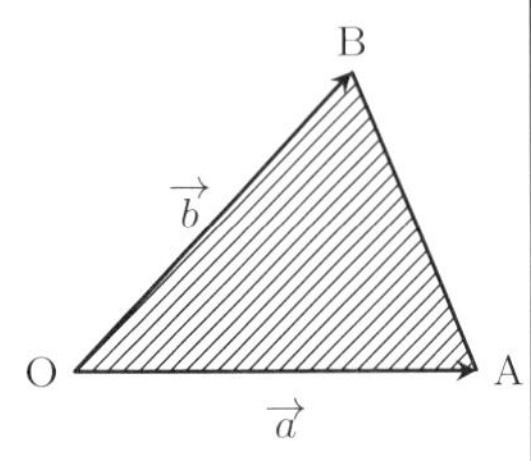

Ⅱ·B

年度	正答率	自信率	誤答率	無答率	期待正答率	教師評価
22	30.7%	11.1%	50.5%	18.8%	70%	43.8%
21	32.4%	6.0%	47.0%	20.5%	70%	41.3%
20	16.6%	5.8%	57.5%	25.9%	70%	36.4%

解答例　点 P が OA 上にあるときは, $y = 0$, $0 \leqq x \leqq 1$, OB 上にあるときは, $x = 0$, $0 \leqq y \leqq 1$ である.

点 P がこれら以外の位置にあるときは, $x > 0$, $y > 0$ であり,

$$\overrightarrow{OP} = (x+y) \cdot \frac{x\vec{a} + y\vec{b}}{x+y}$$

より, AB を $y : x$ に内分する点を Q として, $\overrightarrow{OP} = (x+y)\overrightarrow{OQ}$ と表されるので, $0 < x + y \leqq 1$ である. これらの条件をまとめると, $0 \leqq x + y \leqq 1$, $x \geqq 0$, $y \geqq 0$ ……(答)

解説　2022 年度の調査でも, A～D の各セット最後 (11 問目) に平面ベクトルの一次結合で表された点の存在範囲に関する問題を記述問題として用意した. 条件式を与えてそれが動く点の範囲を図示させる問いと, 逆に点の存在する範囲を図で与えてその条件式を答えさせる問いを, A-11 と D-11, B-11 と C-11 がそれぞれ対になる形で用意した.

A-11 は D-11 とは逆に，$\overrightarrow{\mathrm{OP}} = x\overrightarrow{a} + y\overrightarrow{b}$ で定義された点 P が動く範囲を図示して与えている．そこから，x, y の満たすべき条件を尋ねている．

2021 年度調査から正答率が前年度調査に比べ約 2 倍に上昇した．2022 年度も 30% 以上の正答率である．また自信率も上昇し，無答率が減ってきている．

しかし，まだ D-11 の正答率 42.0% に対し，A-11 の正答率は 30.7% と低い．出題者も図から条件式を作るのは苦手な生徒が多いと考え，期待正答率を D-11 の 80% に対し，A-11 は 70% としたが，それをまだ下回っている．

やはり，式から点の動きを考察することが十分にできていないことが原因と思われる．点 P の動きをイメージさせるために式変形だけではなく，ICT を利用して動的に見せる指導を提案したい．例えば，フリーソフト GRAPES を利用して図 1 のように点 P の動きを見せる．その際，スクリプト（図 2 参照）を組んで動かしてみせるのはいかがであろうか．

その他にも ICT を上手く利用した指導を工夫して頂きたい．

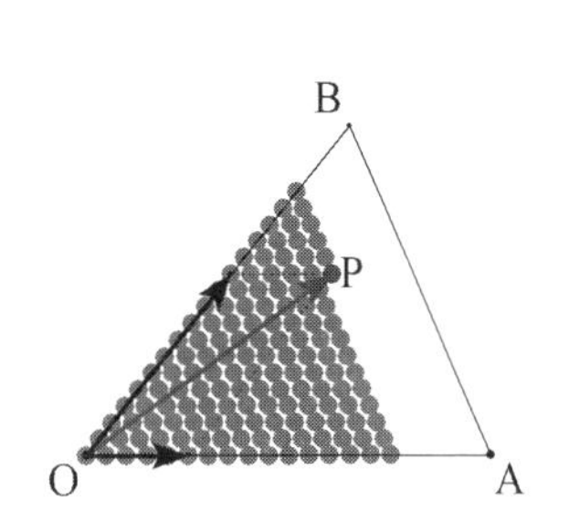

図 1　A-11, D-11 点 P の動き

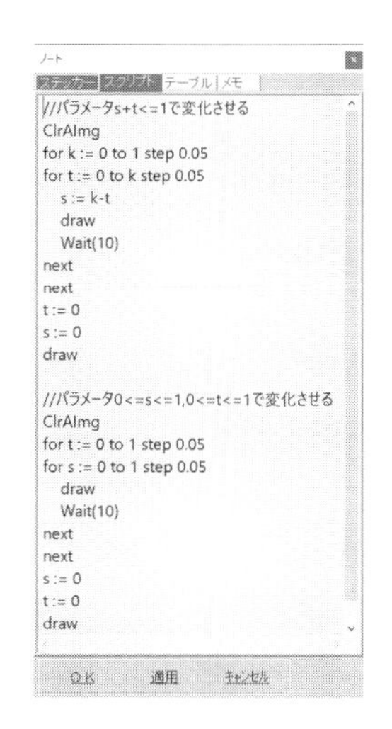

図 2　GRAPES によるスクリプト

数学 B：ベクトル

問題 B-11　△OAB において，$\overrightarrow{OA} = \vec{a}, \overrightarrow{OB} = \vec{b}$ とします．実数 x, y が，

$$0 \leqq x \leqq 1,\ 0 \leqq y \leqq 1$$

の範囲を動くとき，$\overrightarrow{OP} = x\vec{a} + y\vec{b}$ を満たす点 P の存在する範囲を図示しなさい．

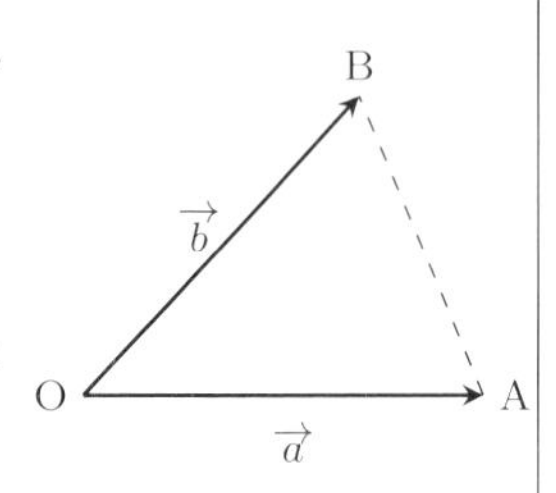

II・B

年度	正答率	自信率	誤答率	無答率	期待正答率	教師評価
22	34.9%	14.2%	50.5%	14.6%	80%	45.2%
21	39.7%	15.8%	49.9%	10.4%	80%	45.3%
20	30.0%	13.3%	53.1%	16.9%	80%	40.5%

解答例　点 S, T を $\overrightarrow{OS} = x\vec{a}, \overrightarrow{OT} = y\vec{b}$ を満たすようにとると，$0 \leqq x \leqq 1, 0 \leqq y \leqq 1$ より，点 S は OA 上，点 T は OB 上にあり，$\overrightarrow{OP} = \overrightarrow{OS} + \overrightarrow{OT}$ と表せる．点 C を平行四辺形 OACB となるようにとると，求める範囲は図の斜線部（境界を含む）……(答)

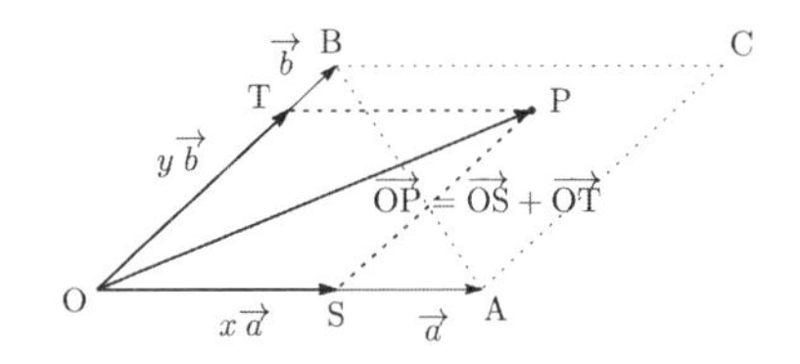

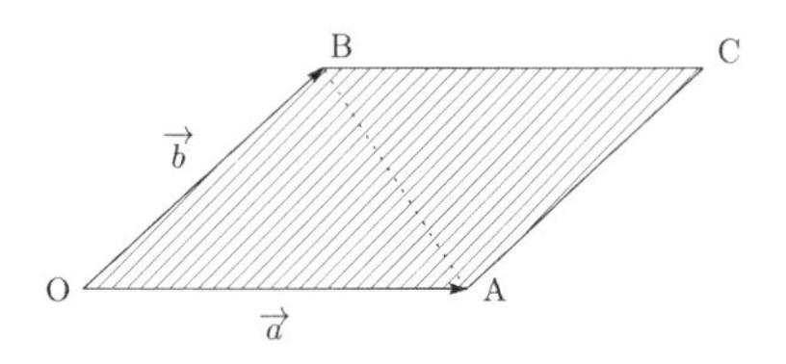

解説　B-11 を図示する問いは，三角形を与えているが，x, y をそれぞれ $0 \leqq x \leqq 1,\ 0 \leqq y \leqq 1$ と与えているため，求める範囲は平行四辺形となる．線分 OA と OB での斜交座標を考えればよい問いである．落ち着いて考えれば

分かりやすい問いのためか, 初年度よりも正答率と自信率が上昇している.

だが, 図示するだけの単純な問いで, 期待正答率 80% の半分ほどの正答率は低いといわざるを得ない.

$\overrightarrow{\mathrm{OP}} = x\overrightarrow{\mathrm{OA}} + y\overrightarrow{\mathrm{OB}}$　で　$x\overrightarrow{\mathrm{OA}} = \overrightarrow{\mathrm{OS}}$　とし, x を固定して考えると

$$\overrightarrow{\mathrm{OP}} = \overrightarrow{\mathrm{OS}} + y\overrightarrow{\mathrm{OB}}$$

ここで, $0 \leqq y \leqq 1$ と動かすと点 P は点 S を通り OB に平行な直線上を動いていく. このとき描く線分 SB′ が x を $0 \leqq x \leqq 1$ と変化することで S が O から A まで動く. つまり, 点 P が線分 OA, OB を隣り合う 2 辺とする平行四辺形の内部及びその周上を動くことが分かる.

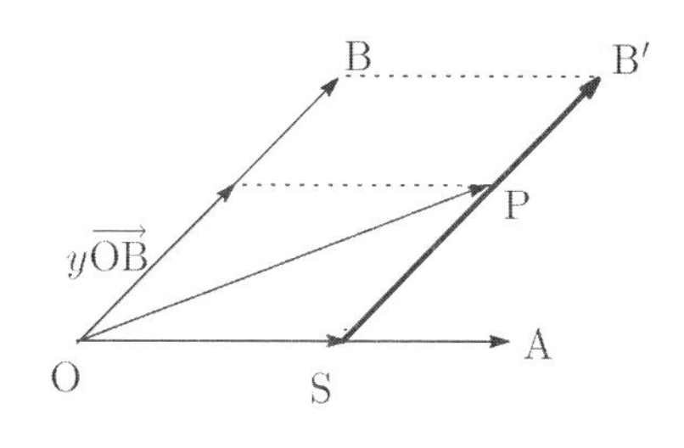

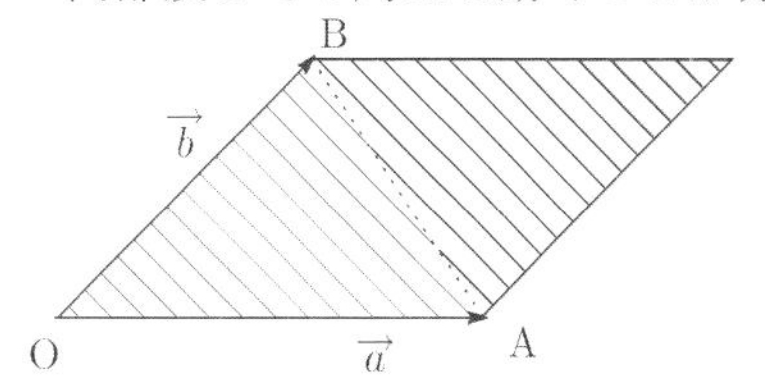

よって, 求める範囲は, 左図の斜線部および周上の点となる.

問題で与えている図が三角形だったためか, 四角形になると予想できなかった者もいたようだ. しかし, 解説にも記したとおり<u>x を固定して</u> y を動かしたとき, 点 P がどう動くか生徒がイメージできるような指導が必要である. 片方の変数を固定して考えることに慣れさせておきたいものである. そのためにも ICT 機器などを利用した動きのある教材を用いて生徒に提示していく指導を工夫していただきたい. A-11 の「解説」に記した様に GRAPES などフリーの数学アプリも充実してきているので, 是非とも検討して頂きたいものである.

数学B：ベクトル

問題 C-11　平行四辺形 OACB において，
$\overrightarrow{\mathrm{OA}}=\vec{a}$, $\overrightarrow{\mathrm{OB}}=\vec{b}$ とします．
ベクトル $\overrightarrow{\mathrm{OP}}$ を

$$\overrightarrow{\mathrm{OP}}=x\vec{a}+y\vec{b}$$

と定めるとき，点 P は右図の斜線部およびその周囲を動くとします．実数 x, y の満たすべき条件を求めなさい．

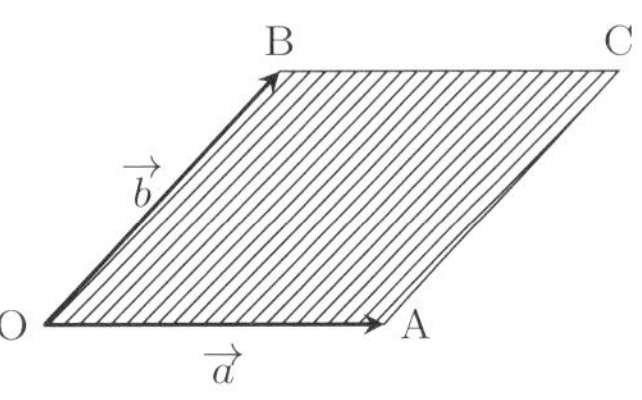

年度	正答率	自信率	誤答率	無答率	期待正答率	教師評価
22	50.5%	15.5%	30.0%	19.5%	70%	39.5%
21	55.9%	13.2%	25.5%	18.6%	70%	36.9%
20	60.4%	16.1%	23.8%	15.8%	70%	36.3%

解答例　下図より，$0 \leqq x \leqq 1,\ 0 \leqq y \leqq 1 \cdots\cdots$(答)

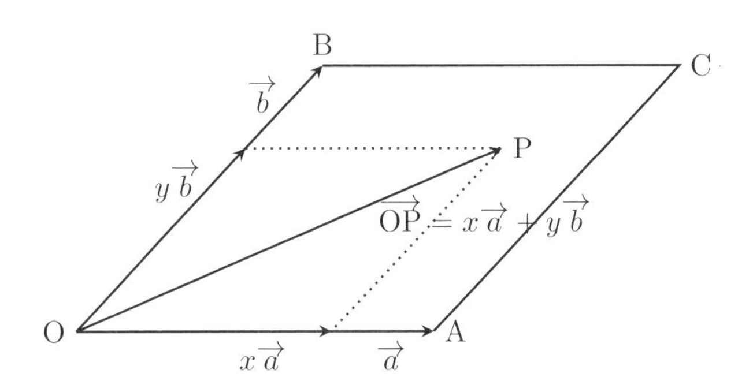

解説　B-11 と対になる問いである．点 P の動く範囲を与えて x, y の満たすべき条件を聞いている．

$$\overrightarrow{\mathrm{OP}}=x\vec{a}+y\vec{b}$$

において, $\overrightarrow{\mathrm{OP}} = \overrightarrow{\mathrm{OC}}$ となるのは, $x = y = 1$ のときである. 平行四辺形の内部及びその周上なので x, y の値が 1 より大きくなることはない. また, 0 より小さな値をとることもない. B-11 の「解説」にも記したとおり,

$$x\overrightarrow{\mathrm{OA}} = \overrightarrow{\mathrm{OS}} \quad \text{とし,}$$

x を固定して考えると

$$\overrightarrow{\mathrm{OP}} = \overrightarrow{\mathrm{OS}} + y\overrightarrow{\mathrm{OB}}$$

ここで, 右図のように点 P が点 S を通り OB に平行に動くには, $0 \leqq y \leqq 1$ であることが分かるであろう. この線分が x を $0 \leqq x \leqq 1$ で動かすことで線分 OA, OB を隣り合う 2 辺とする平行四辺形の内部及びその周上を動くと考えられ, 実数 x, y の満たすべき条件は

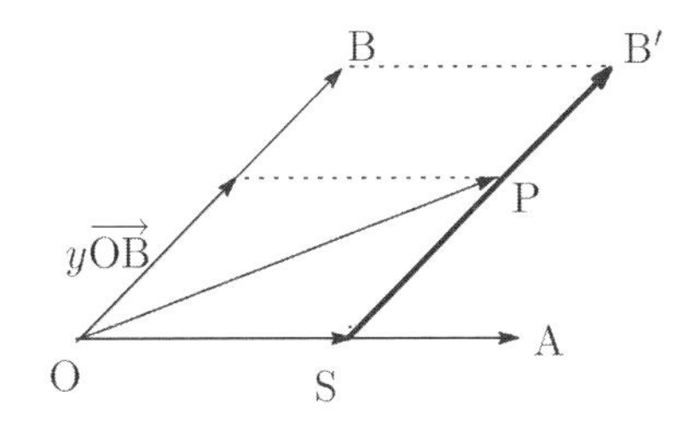

$$0 \leqq x \leqq 1, \quad 0 \leqq y \leqq 1$$

と解答できる.

こうした考え方に慣れていれば簡単な問いである. それを裏付けるように正答率は 50.5% と他のセットの 11 問目より高い正答率だが, 年々低下してきている. 直観的に考えても正答しやすい問いのはずだが, 直観的な考察も動きを意識した指導とともに大切にしたい. A-11 の「解説」にも記した様に, ICT 機器などを利用した動きのある教材を生徒に提示していく指導を工夫していただきたいものである.

数学 B：ベクトル

問題 D-3　平面上に 3 点 $\mathrm{Q}(-3,-1)$, $\mathrm{R}(-2,3)$, $\mathrm{S}(1,-3)$ があるとき, $\overrightarrow{\mathrm{ST}}=2\overrightarrow{\mathrm{QR}}$ となる点 T の y 座標は, つぎのどれですか.

(ア)　-11　　(イ)　-7　　(ウ)　-1
(エ)　1　　(オ)　5

反応率

年度	ア	イ	ウ	エ	オ
22	4.2%	3.3%	6.7%	6.4%	78.9%
21	4.3%	2.8%	4.6%	6.6%	81.3%
20	3.0%	4.1%	6.1%	6.6%	79.7%
19	5.0%	3.7%	4.6%	6.2%	79.7%
18	4.9%	4.5%	6.0%	6.4%	77.5%

年度	正答率	自信率	誤答率	無答率	期待正答率	教師評価	SIMS
22	78.9%	58.7%	20.6%	0.6%	90%	64.9%	74.0%
21	81.3%	61.3%	18.4%	0.3%	90%	70.8%	
20	79.7%	55.9%	19.8%	0.5%	90%	65.7%	
19	79.7%	58.0%	19.6%	0.7%	90%	71.6%	
18	77.5%	51.8%	21.8%	0.7%	90%	67.0%	

解答例

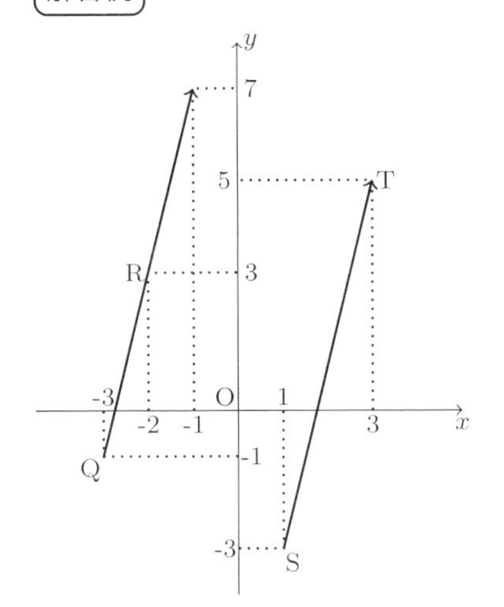

点 T の座標を $T(x, y)$ とおくと,
$\overrightarrow{ST} = (x-1, y+3)$
$\overrightarrow{QR} = (1, 4)$
よって $2\overrightarrow{QR} = (2, 8)$
$\overrightarrow{ST} = 2\overrightarrow{QR}$ であるから,

$$\begin{cases} x-1=2 \\ y+3=8 \end{cases}$$

よって $\begin{cases} x=3 \\ y=5 \end{cases}$

ゆえに, 点 T の y 座標は
5 ……(答)(オ)

解説 ベクトルに関する条件を満たすような平面上の点の座標を求める問題である.

平面ベクトルの問題だが, 問われているのが y 座標だけなので, x 座標を無視しても正答を得ることができる. その是非はともかく, 2 点 A, B の座標から $\overrightarrow{AB}$ が求められれば, 特に計算は面倒ではない.

これも SIMS の問題で, 2007 年度より毎年採用しているものである. 正答率もここ 5 年間で 8 割前後で安定しており, SIMS の結果を上回っている. それに対して教師評価は 64.9% と低い. 必要な公式も特になく, ベクトルの実数倍と相等を理解していれば正答できるので, 自信率・正答率ともに期待正答率にもっと近づいてほしい. 計算して求めるだけでなく図にかいて確認することによって, ベクトルの有用性を実感できるように指導したい.

数学 B：ベクトル

問題 D-11　△OABにおいて, $\overrightarrow{\mathrm{OA}}=\vec{a}$, $\overrightarrow{\mathrm{OB}}=\vec{b}$ とします. 実数 x, y が,

$$0 \leqq x+y \leqq 1,\ x \geqq 0,\ y \geqq 0$$

の範囲を動くとき, $\overrightarrow{\mathrm{OP}}=x\vec{a}+y\vec{b}$ を満たす点Pの存在する範囲を図示しなさい.

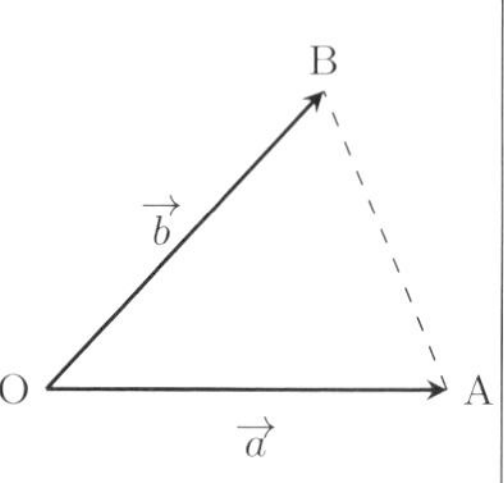

II・B

年度	正答率	自信率	誤答率	無答率	期待正答率	教師評価
22	42.0%	16.2%	37.3%	20.7%	80%	47.0%
21	41.0%	14.5%	37.3%	21.7%	80%	48.1%
20	47.5%	17.2%	35.1%	17.4%	80%	43.9%

解答例　$x=0$ のとき, $0 \leqq y \leqq 1$ より点Pは OB 上, $y=0$ のとき, $0 \leqq x \leqq 1$ より点Pは OA 上にある. これら以外のとき, すなわち, $x>0, y>0$ のとき, $0<x+y \leqq 1$ であり,

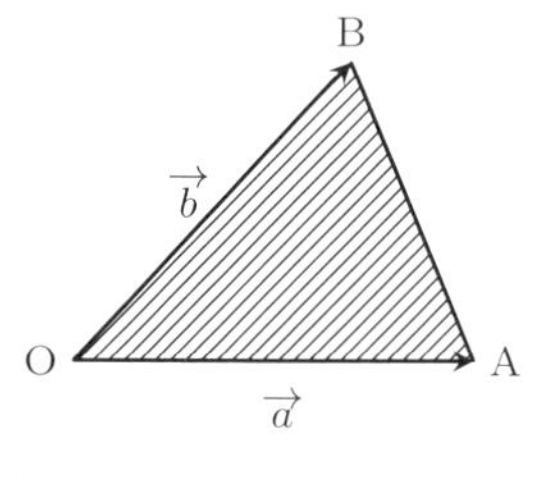

$$\overrightarrow{\mathrm{OP}}=(x+y)\cdot\frac{x\vec{a}+y\vec{b}}{x+y}$$

より, AB を $y:x$ に内分する点を Q として, $\overrightarrow{\mathrm{OP}}=(x+y)\overrightarrow{\mathrm{OQ}}$ と表されるので, 点Pは△OABの内部または端点を除く AB 上にある.
よって, 求める範囲は図の斜線部（境界を含む）……(答)

解説　D-11 は B-11 と同様に点の存在範囲を図示する問題である. x, y の条件も検定教科書でよく取り上げられているものだが, その場合

異なる2点 $\mathrm{A}(\overrightarrow{a})$, $\mathrm{B}(\overrightarrow{b})$ に対して, 点 $\mathrm{P}(\overrightarrow{p})$ が

$$\overrightarrow{p} = x\overrightarrow{a} + y\overrightarrow{b},\ x + y = 1,\ x \geqq 0,\ y \geqq 0$$

を満たしながら動くとき, 点 $\mathrm{P}(\overrightarrow{p})$ の存在範囲は, 線分 AB である.

を既知とした解説がよくみられる. 上記の性質を暗記させているだけの指導では, 実数 x, y が変化したときに点Pの位置がどのように変化するか把握するのは大変なようだ. 点Pが, 三角形の内部を動くのはなぜかという点がきちんと説明できるように指導していただきたいものである.

模範解答のように内分点を考えてそれが三角形の内部を動いていくといった説明の他に次のような解答も考えられる.

$\overrightarrow{\mathrm{OP}} = x\overrightarrow{\mathrm{OA}} + y\overrightarrow{\mathrm{OB}}$ で $x + y = k$ とおき, まずは k を固定して考える. $\overrightarrow{\mathrm{OP}} = x\overrightarrow{\mathrm{BA}} + k\overrightarrow{\mathrm{OB}}$ とかけることから $y = k - x \geqq 0$ より $0 \leqq x \leqq k$ である. これにより点Pの動きを考察させる解答である.

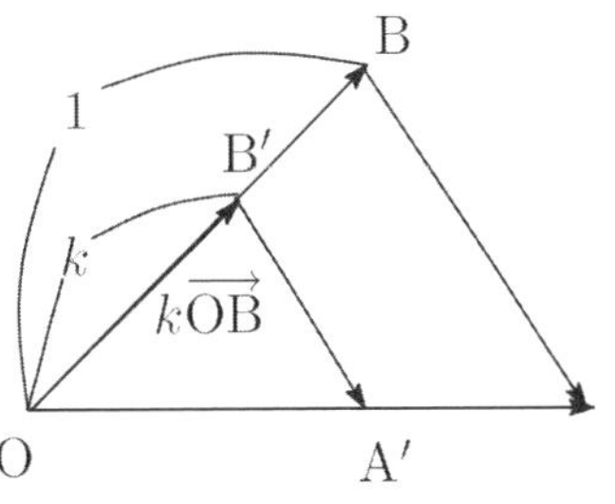

出題者としては正答率80%を期待したが, 5割に届かず, 2020年度調査より低い正答率である. 教師評価による予想正答率47.0%は実際の正答率に近く, 生徒の理解度は先生方が日頃指導されている印象通りだったようである. しかし, 一次結合で表されたベクトルがどの範囲を動くか理解できる生徒は5割弱ということになる. もっと理解していることを期待したい.

だからといって, 上記枠内の性質を既知として公式化した指導をするのではなく, 模範解答や解説に挙げたような動きを感じられるような式変形などを工夫した指導が必要であると考える.

4.3　数学 III の問題

数学 III：平面上の曲線

問題 B-3　媒介変数表示による方程式 $x = t + \dfrac{1}{t}$, $y = t - \dfrac{1}{t}$ で表される曲線の x, y の方程式は，つぎのどれですか．

(ア)　$x + y = 1$　　(イ)　$x + y = 2$　　(ウ)　$x^2 + y^2 = 4$
(エ)　$x^2 - y^2 = 4$　　(オ)　$2x^2 - y^2 = 4$

III

反応率

年度	ア	イ	ウ	エ	オ
22	1.8%	9.2%	8.6%	76.8%	2.2%
21	2.4%	9.3%	10.1%	72.5%	3.9%
20	2.2%	7.0%	10.4%	73.6%	4.7%
19	1.9%	9.2%	11.7%	71.7%	3.2%
18	2.0%	8.6%	9.6%	75.8%	2.7%

年度	正答率	自信率	誤答率	無答率	期待正答率	教師評価	SIMS
22	76.8%	47.6%	21.8%	1.3%	80%	52.8%	66.2%
21	72.5%	45.7%	25.7%	1.8%	80%	51.1%	
20	73.6%	45.4%	24.3%	2.1%	80%	47.1%	
19	71.7%	44.2%	26.1%	2.2%	80%	52.3%	
18	75.8%	47.9%	22.9%	1.3%	80%	52.4%	

解答例　与えられた条件式より

$$x^2 = \left(t + \frac{1}{t}\right)^2 = t^2 + 2 + \frac{1}{t^2} \quad \cdots\cdots ①$$

$$y^2 = \left(t - \frac{1}{t}\right)^2 = t^2 - 2 + \frac{1}{t^2} \quad \cdots\cdots ②$$

①−② より　$x^2 - y^2 = 4$　$\cdots\cdot$（答）（エ）

別解　与えられた 2 式を辺々加えて

$x + y = 2t$ より　$t = \dfrac{x+y}{2}$

これを第 1 式に代入して, 整理すると

$$x = \frac{x+y}{2} + \frac{2}{x+y}$$

$$2x(x+y) = (x+y)^2 + 4$$

$x^2 - y^2 = 4$　$\cdots\cdot$（答）（エ）

解説　媒介変数表示された曲線の方程式から x, y の方程式を求める問題である.

一般に, 媒介変数表示された曲線の x, y の方程式を求めることは難しい. しかし本問は選択肢が与えられているので考えやすい.

解を得るためには x^2, y^2 を計算し, その差で t が消去されることに気づくことがポイントである. また, 別解のように式変形および代入しても求められることから 80% の正答率を期待した. (イ) や (ウ) を選択した者はケアレスミスであろう.

曲線の媒介変数表示を含むいろいろな曲線についての指導が 14 年度から数学 Ⅲ に含まれたが, 正答率に大きな変化はなかった. しかし 20 年度に, 教師評価は 50% を下回った. これは 20 年度において, コロナ禍で授業進度が例年に比べると遅れたり, 定着の時間が十分確保できないことから来るものと推測される. 21 年度は, 対面授業が基本となり, 教師評価は 50% を上回り, 22 年度も同様である.

なお, このような軌跡の問題では除外点を考えることが難しい. 除外点の考察が自信率の数値に影響していると思われる.

数学 III：平面上の曲線

問題 B-8　座標平面上で，時刻 t における動点 M の座標 $(x,\ y)$ は，

$$\begin{cases} x = 2\sin t \\ y = 2\cos 2t - 1 \end{cases}$$

です．点 M の軌跡はつぎのどれですか．

(ア)　直線　　(イ)　半円　　(ウ)　半楕円
(エ)　放物線　(オ)　うずまき線

III

反応率

年度	ア	イ	ウ	エ	オ
22	2.8%	6.5%	24.5%	54.0%	11.2%
21	3.0%	5.4%	25.7%	50.1%	14.9%
20	3.5%	5.1%	23.9%	50.9%	15.3%
19	3.1%	6.2%	24.1%	53.4%	12.7%
18	3.8%	7.8%	21.8%	50.2%	15.1%

年度	正答率	自信率	誤答率	無答率	期待正答率	教師評価	SIMS
22	54.0%	27.7%	44.9%	1.1%	70%	44.7%	43.8%
21	50.1%	22.8%	48.9%	1.0%	70%	40.9%	
20	50.9%	26.5%	47.8%	1.3%	70%	43.4%	
19	53.4%	25.6%	46.1%	0.5%	70%	44.3%	
18	50.2%	26.3%	48.6%	1.2%	70%	46.2%	

解答例　$-1 \leqq \sin t \leqq 1$ より　$-2 \leqq x \leqq 2$

また，与えられた数式 $\begin{cases} x = 2\sin t \\ y = 2\cos 2t - 1 \end{cases}$

より t を消去すると

$$y = 2(1-2\sin^2 t) - 1 = 2 - 4\sin^2 t - 1$$
$$= -x^2 + 1 \ (-2 \leqq x \leqq 2)$$

よって, 点 M の軌跡は放物線となる. ……（答）（エ）

解説　21 年度は, 教師評価 40.9%, 正答率 50.1% と過去 5 年で最低であったが. 22 年度は正答率が最高になっている. 加えて自信率も最高なので, 今後の調査の動向を見たい.

本問の解答にはポイントが 3 つある.

まず軌跡を求める手法, すなわち動点を $(x,\ y)$ として $x,\ y$ の関係式を導くことについての理解. これについては動点 M の座標 $(x,\ y)$ が t を媒介変数として与えられており, 問題はなかったであろう.

つぎに三角関数の式変形, すなわち $\cos 2\theta = 1 - 2\sin^2\theta$ を用いて x と y の関係式を導くこと. 誤答の多くはここで誤ったのであろう. 三角関数は重要な関数であるが, その式変形の難しさ（公式の多さ）のため, 高校生にとって扱いにくい関数である. そのことが例年, 教師評価や自信率が低いことに関係があると考える. しかし, この問題で用いた公式は煩雑なものではないので, 70% 以上の正答を期待した. いずれにしても, 加法定理から導かれる種々の公式を指導するときに, 十分配慮すべきであろう. 公式として記憶するのではなく, その都度, 加法定理から導く姿勢が重要である.

最後に, 導いた軌跡が放物線（2 次関数のグラフ）であることの理解. このことは常識的であり, 第 1 のポイント以上に問題ないところであろう. 直線や半円, うずまき線などと答えた者は式変形を誤ったか, 苦し紛れに答えたものと思われる.

点の軌跡の問題では, 媒介変数の消去方法が, 問題によって異なることが生徒には難しい理由の 1 つであろう.

III

数学 III：複素数平面

問題 A-4　複素数 z の絶対値は $\sqrt{2}$ で，偏角は $\frac{3\pi}{4}$ であるとき，z は，つぎのどれに等しいですか．

(ア)　$\frac{i-1}{\sqrt{2}}$　　(イ)　$i-1$　　(ウ)　$\sqrt{2}(i-1)$

(エ)　$i+1$　　(オ)　$\frac{i+1}{\sqrt{2}}$

III

反応率

年度	ア	イ	ウ	エ	オ
22	7.5%	70.1%	11.3%	6.2%	3.7%
21	7.5%	72.2%	10.7%	5.9%	2.6%
20	4.8%	71.2%	13.0%	6.9%	3.4%
19	4.6%	70.9%	13.6%	5.6%	4.1%
18	8.3%	69.5%	11.4%	6.4%	3.3%

年度	正答率	自信率	誤答率	無答率	期待正答率	教師評価	SIMS
22	70.1%	49.8%	28.8%	1.1%	80%	58.5%	16.2%
21	72.2%	51.5%	26.7%	1.1%	80%	60.6%	
20	71.2%	50.8%	28.1%	0.7%	80%	60.9%	
19	70.9%	47.3%	27.9%	1.2%	80%	60.0%	
18	69.5%	44.4%	29.5%	0.9%	80%	58.5%	

解答例

$$z=\sqrt{2}\left(\cos\frac{3}{4}\pi+i\sin\frac{3}{4}\pi\right)=\sqrt{2}\left(-\frac{1}{\sqrt{2}}+\frac{1}{\sqrt{2}}i\right)$$

$$=-1+i=i-1$$ ……（答）（イ）

解説　複素数平面の基本的な問題である．

複素数の極形式での表示，すなわち絶対値と偏角の定義を理解していれば正解できる問題なので，80% の正解を期待しているが，正答率 70% 前後が続いている．

数学 Ⅲ で複素数平面をどの時期に学習すべきかは議論の残るところであろうが，微分積分はその関連性が強く分断するわけにいかないため，年度当初に扱う場合が多いと思われる．しかし，その後の数学 Ⅲ の学習では複素数を応用する場面がないため，本問の正答率が低かったのであろうか．

また，曲線の極方程式は点の位置を複素数の極形式と同じ考え方によって示すものであり，本問との関連性は高い．しかし，数学 Ⅲ での極座標は微分積分との関連性の少なさから最後に扱われることが多く，本調査の段階では未習の学校もあったと考えられる．

複素数平面が学習指導要領に再登場し，2014 年度より数学 Ⅲ で扱われるようになった．大学入試において，複素数平面と行列・一次変換が周期的に出題されている．高校時代に複素数平面を学習していない教員も多い．大学時代に学習した者と，高校のとき学習し活用できるようになるまで練習した者では，教員として生徒に教えるときにその扱いに違いが出る．教師評価や正答率の低さには，このような教員側の要因もあるかもしれない．

複素数平面では，積が回転や拡大になることは生徒にとって興味深いことであり，高校 2 年生で学習させたい事項であろう．数学 Ⅲ で扱わざるを得ないが，複素数平面の煩雑な計算に深入りすることなく，積と回転や拡大の関係を中心に取り扱いたい．そうすれば絶対値や偏角を自然に体得し，本問も基本問題としてより多くの生徒が正解できるであろう．

数学 Ⅲ：複素数平面

問題 D-2　$z = \cos\frac{\pi}{6} + i\sin\frac{\pi}{6}$ のとき，z^3 はつぎのどれですか．

（ア）　0　　（イ）　1　　（ウ）　i

（エ）　$\frac{3\sqrt{3}}{8} + \frac{i}{8}$　　（オ）　$\frac{3\sqrt{3}}{8} - \frac{i}{8}$

反応率

年度	ア	イ	ウ	エ	オ
22	1.9%	4.2%	80.6%	6.2%	6.7%
21	0.9%	5.8%	80.3%	6.8%	5.5%
20	1.0%	5.0%	79.9%	7.0%	6.4%
19	1.0%	5.1%	82.4%	6.0%	4.6%
18	1.1%	4.8%	82.0%	6.1%	5.6%

年度	正答率	自信率	誤答率	無答率	期待正答率	教師評価	SIMS
22	80.6%	59.9%	19.0%	0.4%	80%	65.4%	62.9%
21	80.3%	62.1%	19.0%	0.7%	80%	65.7%	
20	79.9%	55.7%	19.5%	0.6%	80%	62.7%	
19	82.4%	59.6%	16.6%	1.0%	80%	65.7%	
18	82.0%	60.0%	17.6%	0.5%	80%	67.9%	

解答例　ド・モアブルの定理より

$$z^3 = \left(\cos\frac{\pi}{6} + i\sin\frac{\pi}{6}\right)^3 = 1^3\left\{\cos\left(3\cdot\frac{\pi}{6}\right) + i\sin\left(3\cdot\frac{\pi}{6}\right)\right\}$$

$$= \cos\frac{\pi}{2} + i\sin\frac{\pi}{2} = 0 + i\cdot 1 = i \quad \cdots\cdots（答）（ウ）$$

別解　$z = \cos\frac{\pi}{6} + i\sin\frac{\pi}{6} = \frac{\sqrt{3}}{2} + \frac{1}{2}i$ なので

$$z^3 = \left(\frac{\sqrt{3}}{2} + \frac{1}{2}i\right)^3 = \frac{1}{2^3}(\sqrt{3}+i)^3$$
$$= \frac{1}{8}\{(\sqrt{3})^3 + 3\cdot(\sqrt{3})^2\cdot i + 3\cdot\sqrt{3}\cdot i^2 + i^3\}$$
$$= \frac{1}{8}(3\sqrt{3} + 9i - 3\sqrt{3} - i) = \frac{1}{8}\cdot 8i = i \quad \cdots\cdots \text{(答)（ウ）}$$

解説　2022 年度調査を実施した高 3 が履修している課程では, 数学 II の高次方程式（複素数）と数学 III の複素数平面（ド・モアブルの定理）で解くことができる.

別解では, 数学 II の知識のみで, 単純に 3 乗して正解を得ている. (エ), (オ) は反応率の高い誤答であり，その間違い方は容易に推測できる.

(エ) の間違え方：

$$z^3 = \left(\frac{\sqrt{3}}{2} + \frac{1}{2}i\right)^3 = \left(\frac{\sqrt{3}}{2}\right)^3 + \left(\frac{1}{2}\right)^3 i = \frac{3\sqrt{3}}{8} + \frac{1}{8}i$$

(オ) の間違え方：

$$z^3 = \left(\frac{\sqrt{3}}{2} + \frac{1}{2}i\right)^3 = \left(\frac{\sqrt{3}}{2}\right)^3 + \left(\frac{1}{2}i\right)^3 = \frac{3\sqrt{3}}{8} - \frac{1}{8}i$$

2022 年度調査を実施した高 3 が履修している課程になってからは，解答例のように数学 III の複素数平面で学ぶド・モアブルの定理を利用した生徒が多いと思われるが,（エ),（オ）の反応率は変化せず，同程度で推移している.

複素数の積がその偏角の回転と, 絶対値倍の拡大であることは生徒にとって印象的なことである. 本問の z が $\frac{\pi}{6}$ 回転なので, z^3 は $\frac{\pi}{6} \times 3 = \frac{\pi}{2}$ 回転すなわち i 倍と考えられるように指導したい.

数学Ⅲ：関数の極限

問題 C-4　無限等比級数 $1-\frac{1}{2}+\frac{1}{4}-\frac{1}{8}+\cdots$ の和は，つぎのどれですか．

（ア）$\frac{5}{8}$　（イ）$\frac{2}{3}$　（ウ）$\frac{3}{5}$　（エ）$\frac{3}{2}$　（オ）∞

反応率

年度	ア	イ	ウ	エ	オ
22	5.6%	70.3%	5.8%	5.8%	11.9%
21	6.0%	71.5%	3.8%	5.4%	12.5%
20	7.1%	68.8%	4.5%	5.0%	14.0%
19	6.3%	68.2%	5.0%	6.7%	12.4%
18	7.6%	64.9%	5.1%	7.0%	14.7%

年度	正答率	自信率	誤答率	無答率	期待正答率	教師評価	SIMS
22	70.3%	40.8%	29.1%	0.6%	90%	55.6%	55.8%
21	71.5%	41.9%	27.7%	0.8%	90%	57.7%	
20	68.8%	38.6%	30.6%	0.6%	90%	56.1%	
19	68.2%	37.0%	30.4%	1.4%	90%	58.2%	
18	64.9%	35.7%	34.4%	0.7%	90%	56.9%	

解答例　無限等比級数の初項は 1，公比は $r=-\frac{1}{2}$

$|r|<1$ より，この無限等比級数は収束する．

その和は

$$\lim_{n\to\infty}\sum_{k=1}^{n}\left(-\frac{1}{2}\right)^{k-1}=\lim_{n\to\infty}\frac{1-\left(-\frac{1}{2}\right)^{n}}{1-\left(-\frac{1}{2}\right)}$$

$$=\frac{1}{1+\frac{1}{2}}=\frac{2}{3}\quad\cdots\cdots\text{（答）（イ）}$$

解説　本問は収束する無限等比級数の和を求める問題である．収束・発散の条件を忘れても，

$a+ar+ar^2+\cdots+ar^{n-1}$

$$=\sum_{k=1}^{n}ar^{k-1}=\frac{a(1-r^n)}{1-r}\to\frac{a}{1-r}\ (n\to\infty,\ |r|<1\text{ のとき})$$

のように与えられた級数の和は求まる．毎年1割以上の者が（オ）を選んでおり，解答例のように無限等比級数の和について，公式だけでなくどのように求めるかも理解させたい．

なお，（ア）は最初の4項の和であり，これを選んだものは数列の和の意味を理解していないと思われる．また，無限数列の作り方から2項と3項の和，4項と5項の和，6項と7項の和，……は，いずれも負であり，この無限数列の和は1未満であることが推測できる．これらを考えると正答は，（イ）か（ウ）のいずれかに絞ることが計算する前にわかることになる．このような数的感覚も数学Ⅲまで学んだ生徒にはもってほしいものである．

Ⅲ

数学Ⅲ：関数の極限

問題 D-9　つぎの極限値の計算が正しければ解答欄に「正しい」と記入し，正しくなければ右端のある行の番号を利用しながらその理由を説明し，さらに正答を出して下さい．

$$\lim_{x \to -\infty} \left(\sqrt{x^2+2x+3} + x \right) \qquad \cdots\cdots ①$$

$$= \lim_{x \to -\infty} \frac{\left(\sqrt{x^2+2x+3}+x\right)\left(\sqrt{x^2+2x+3}-x\right)}{\sqrt{x^2+2x+3}-x} \qquad \cdots\cdots ②$$

$$= \lim_{x \to -\infty} \frac{2x+3}{\sqrt{x^2+2x+3}-x} \qquad \cdots\cdots ③$$

$$= \lim_{x \to -\infty} \frac{2+\dfrac{3}{x}}{\sqrt{1+\dfrac{2}{x}+\dfrac{3}{x^2}}-1} \qquad \cdots\cdots ④$$

$$= -\infty \qquad \cdots\cdots ⑤$$

年度	正答率	自信率	誤答率	無答率	期待正答率	教師評価
22	41.7%	18.8%	55.4%	2.9%	50%	35.9%
21	41.7%	18.9%	51.6%	6.7%	50%	37.2%
20	–	–	–	–	–	–
19	39.9%	17.4%	49.9%	10.2%	50%	32.8%

解答例　③ から ④ への式変形が間違っている．

$x<0$ のとき，$\sqrt{x^2}=|x|=-x$，すなわち，$x=-\sqrt{x^2}$ なので，分母分子を x で割るときに根号の前に符号 $(-)$ をつけなければならない．

正答は,

$$
\begin{aligned}
&\lim_{x \to -\infty} \left(\sqrt{x^2 + 2x + 3} + x \right) \\
&= \lim_{x \to -\infty} \frac{\left(\sqrt{x^2 + 2x + 3} + x \right) \left(\sqrt{x^2 + 2x + 3} - x \right)}{\sqrt{x^2 + 2x + 3} - x} \\
&= \lim_{x \to -\infty} \frac{2x + 3}{\sqrt{x^2 + 2x + 3} - x} \\
&= \lim_{x \to -\infty} \frac{2 + \frac{3}{x}}{-\sqrt{1 + \frac{2}{x} + \frac{3}{x^2}} - 1} \\
&= -1 \quad \cdots\cdots \text{(答)}
\end{aligned}
$$

解説　極限値を求める過程で誤りを見つけ, 正しい解答を作成する問題であった. 生徒の思考力・判断力・表現力を見る意図があり, 3 回目の出題であった.

まず, $\infty - \infty$ の不定形であるから式を変形する必要がある. 分子を有理化し, 分母分子を最高次の項で割ることによって, $\lim_{x \to -\infty} \frac{1}{x} = 0$ を利用することまでは気づいたであろう. $x < 0$ であることを注意して誤りを発見したい.

正答率は約 40% で, 期待正答率には及ばなかったが, 教師評価は超えている. 男子の正答率が 43.1%, 女子の正答率が 38.4% と男女の正答率に開きがあり, また学校間で成績のばらつきが大きく, 標準偏差が 21.5 であった. そのような結果をふまえて, 問題を解く過程で, 誤っている箇所を指摘して, 正答を解答するためには, 常日頃から答案を書く際に, 条件に配慮しながら式変形を行うことが肝要である. また, 数学 Ⅲ の極限値の計算では, 計算量がそれほど多くないような問題でも, 曖昧な理解のまま解き進めることによって, 誤答につながることも多い. 今回のような式変形や, 置換する場合など留意して指導することによって, 生徒の定着を図りたい.

数学Ⅲ：微　分　法

問題 A-3　時刻 $t\ (t>0)$ において，座標平面上の動点 $(x,\ y)$ が $\begin{cases} x=e^{-t} \\ y=\log(1+2t) \end{cases}$ と表されるとき，時刻 t での速度ベクトルは，つぎのどれになりますか．

（ア）　$(e^{-t},\ \log(1+2t))$　　（イ）　$\left(e^{-t},\ \dfrac{1}{1+2t}\right)$

（ウ）　$\left(-e^{-t},\ \dfrac{2}{1+2t}\right)$　　（エ）　$\left(-e^{-t},\ \dfrac{1}{1+2t}\right)$

（オ）　$\left(-1,\ \dfrac{1}{t}\right)$

反応率

年度	ア	イ	ウ	エ	オ
22	9.0%	8.2%	71.8%	9.0%	1.0%
21	8.6%	7.3%	72.4%	10.1%	0.8%
20	8.3%	11.1%	67.5%	10.1%	1.1%
19	7.2%	7.6%	73.0%	9.4%	1.1%
18	6.9%	7.5%	73.7%	9.1%	1.3%

年度	正答率	自信率	誤答率	無答率	期待正答率	教師評価	SIMS
22	71.8%	40.1%	27.2%	1.0%	75%	49.7%	58.6%
21	72.4%	34.4%	26.7%	0.9%	75%	43.0%	
20	67.5%	32.9%	30.7%	1.8%	75%	45.9%	
19	73.0%	33.4%	25.4%	1.6%	75%	48.1%	
18	73.7%	32.4%	24.8%	1.6%	75%	46.1%	

解答例　$\begin{cases} x = e^{-t} \\ y = \log(1+2t) \end{cases}$　について

$$\frac{dx}{dt} = -e^{-t}, \quad \frac{dy}{dt} = \frac{2}{1+2t}$$

動点 $(x,\ y)$ の時刻 t での速度ベクトル $\left(\dfrac{dx}{dt},\ \dfrac{dy}{dt}\right)$ は

$$\left(-e^{-t},\ \frac{2}{1+2t}\right) \quad \cdots\cdots\text{(答)(ウ)}$$

解説　時間を表す媒介変数 t で表示された座標平面上の動点の速度ベクトルを求める問題である.

自信率と教師評価は良くなったものの, 正答率は 21 年度とほぼ同じである. また, 誤答である（イ）と（エ）の反応率の合計は 17.2% で同じ傾向が続いている.

$x = e^{-t}$, $y = \log(1+2t)$ を t で微分する際に合成関数であることを考慮し忘れて, 間違えたのであろう.

また, (ア) は, 本調査時までに速度ベクトルを学習していない者が選んでいると考えられる.

時刻 t の点の位置を x とすると, 時刻についての位置の変化率 $\dfrac{dx}{dt}$ が速度であり, 速度の変化率 $\dfrac{d}{dt}\left(\dfrac{dx}{dt}\right) = \dfrac{d^2x}{dt^2}$ が加速度である.

理数系の生徒にとって, このような考え方は大切であろう. なお, 合成関数の微分法については復習される必要がある.

$$x = e^{f(t)} \text{ のとき, } \frac{dx}{dt} = e^{f(t)} \cdot f'(t)$$

$$y = \log g(t) \text{ のとき, } \frac{dy}{dt} = \frac{g'(t)}{g(t)}$$

数学Ⅲ：微　分　法

問題 A-6　関数 $y = 3x^3 + 6x^2 + kx + 9$ のグラフの変曲点における接線の傾きが0となるとすれば，k の値はつぎのどれですか．

（ア）0　（イ）1　（ウ）2　（エ）3　（オ）4

反応率

年度	ア	イ	ウ	エ	オ
22	9.4%	2.4%	4.8%	13.5%	69.1%
21	9.1%	3.4%	6.3%	11.9%	67.9%
20	8.6%	3.2%	5.5%	16.6%	65.2%
19	10.9%	2.9%	5.8%	14.0%	65.3%
18	9.7%	3.3%	5.5%	12.5%	67.6%

年度	正答率	自信率	誤答率	無答率	期待正答率	教師評価	SIMS
22	69.1%	44.4%	30.0%	0.8%	80%	56.7%	55.3%
21	67.9%	42.6%	30.7%	1.3%	80%	55.5%	
20	65.2%	41.1%	33.9%	0.9%	80%	57.1%	
19	65.3%	39.3%	33.7%	1.0%	80%	57.3%	
18	67.6%	40.5%	30.9%	1.5%	80%	55.2%	

解答例　$y = 3x^3 + 6x^2 + kx + 9$　……①

$y' = 9x^2 + 12x + k$　……②

$y'' = 18x + 12$

$y'' = 0$ より　$x = -\dfrac{2}{3}$

変化のようすを右の表に表す．表より，①のグラフ上で x 座標が $x=-\dfrac{2}{3}$ である点は変曲点である．

x	$\cdots\cdots$	$-\dfrac{2}{3}$	$\cdots\cdots$
y''	$-$	0	$+$
y	上に凸		下に凸

変曲点における接線の傾きが0であるから，②より

$$9\left(-\frac{2}{3}\right)^2+12\left(-\frac{2}{3}\right)+k=k-4=0$$

$$k=4 \quad \cdots\cdots(\text{答})\ (\text{オ})$$

別解　$f(x)=3x^3+6x^2+kx+9$ とおく．

$x=a$ に対応する点において，接線の傾きが0でかつ変曲点になっているとすると，$f'(a)=0$ かつ $f''(a)=0$

よって，$f'(x)=0$ は $x=a$ を重解にもつことから，②より

$9x^2+12x+k=0$ の判別式を D とすると　$D=0$

$$\frac{D}{4}=6^2-9\times k=0$$

よって，$k=4$　$\cdots\cdots$（答）（オ）

解説　関数のグラフにおける変曲点と第1次導関数，第2次導関数の値との関連についての理解を問う問題である．

変曲点や接線の性質は，微分法の応用の基本事項であり，より多くの正答を期待したい．

第1次導関数，第2次導関数の値が，関数のグラフにどのように反映するかを，機会があるたびに指導し，正しく理解させたい．

数学Ⅲ：微　分　法

問題 B-5　放射性元素は，つぎの式に従って崩壊します．

$$y = y_0 \cdot e^{-kt}$$

ただし，y は t 日後に残っている元素の量，y_0 は $t = 0$ のときの y の値を示します．半減期（その元素の半分が崩壊するまでの時間）が4日である元素の定数 k の値は，つぎのどれですか．

（ア）　$\frac{1}{4}\log_e 2$　　（イ）　$\log_e \frac{1}{2}$　　（ウ）　$\log_2 e$

（エ）　$(\log_e 2)^{\frac{1}{4}}$　　（オ）　$2e^4$

反応率

年度	ア	イ	ウ	エ	オ
22	62.0%	12.8%	5.8%	16.8%	1.5%
21	69.1%	9.0%	5.0%	13.6%	2.4%
20	60.3%	9.8%	4.8%	18.7%	3.3%
19	62.9%	11.1%	7.3%	14.1%	2.9%
18	60.2%	10.9%	5.9%	19.1%	2.3%

年度	正答率	自信率	誤答率	無答率	期待正答率	教師評価	SIMS
22	62.0%	30.9%	36.9%	1.1%	60%	34.5%	58.0%
21	69.1%	32.9%	30.0%	0.9%	60%	35.9%	
20	60.3%	26.1%	36.6%	3.1%	60%	30.9%	
19	62.9%	27.4%	35.5%	1.6%	60%	33.9%	
18	60.2%	26.1%	38.1%	1.6%	60%	32.6%	

解答例　$t=4$ で $y=\dfrac{1}{2}y_0$ となればよいから　$\dfrac{1}{2}y_0=y_0\cdot e^{-4k}$

よって　$\dfrac{1}{2}=e^{-4k}$　　これより　$-4k=\log_e\dfrac{1}{2}$

したがって

$$k=-\frac{1}{4}\log_e 2^{-1}=\frac{1}{4}\log_e 2 \quad \cdots\cdots（答）（ア）$$

解説　指数・対数方程式の問題であるが, 底が e であるため, 数学Ⅲの問題に分類した.

「半減期」については問題文中に意味が説明されているが, 現在の高等学校学習指導要領「数学」では取り扱われておらず, 理科で物理を選択する生徒にしかなじみがないので, 期待正答率を60%と設定した.

本問では解答例の第1式を作ることができれば, 対数の定義にしたがって k について解けばよい.

対数は三角関数と同様に, 生徒が苦手とするものの1つである. 無答が少ないことから立式した後の式変形で誤った者が多いのであろう. 対数の定義や計算法則の指導時に, 指数と対比させながら, 定着をはかりたい.

私たちの身のまわりの事象には指数・対数関数や三角関数で説明できることが少なくない. 「半減期」も数学の授業で扱うことがない用語であるが数学活用の観点では, 有効であろう.

東日本大震災における, 原子力発電所の事故により, 半減期という言葉がクローズアップされた. 理数系の高校生としてその意味を正しく知っておいてほしい.

数学Ⅲ：微　分　法

問題 B-6　$\dfrac{4}{\sqrt{3x-4}}$ の導関数は，つぎのどれですか．

(ア)　$12\sqrt{3x-4}$　　(イ)　$\dfrac{4}{\sqrt{3}}$　　(ウ)　$\dfrac{-2}{(3x-4)^{\frac{3}{2}}}$

(エ)　$\dfrac{-6}{(3x-4)^{\frac{3}{2}}}$　　(オ)　$6\sqrt{3x-4}$

反応率

年度	ア	イ	ウ	エ	オ
22	3.4%	2.9%	20.5%	67.3%	5.1%
21	4.1%	2.6%	20.8%	66.5%	4.9%
20	3.9%	2.3%	18.3%	69.0%	5.4%
19	2.8%	1.8%	21.3%	68.7%	5.1%
18	5.2%	2.8%	19.9%	65.2%	5.6%

年度	正答率	自信率	誤答率	無答率	期待正答率	教師評価	SIMS
22	67.3%	43.2%	31.9%	0.8%	85%	61.4%	56.8%
21	66.5%	44.9%	32.4%	1.1%	85%	61.3%	
20	69.0%	46.2%	29.9%	1.1%	85%	60.9%	
19	68.7%	44.9%	31.1%	0.2%	85%	61.3%	
18	65.2%	40.4%	33.5%	1.4%	85%	59.3%	

解答例

$$\left(\frac{4}{\sqrt{3x-4}}\right)' = \left\{4(3x-4)^{-\frac{1}{2}}\right\}'$$
$$= 4\cdot\left(-\frac{1}{2}\right)\cdot(3x-4)^{-\frac{3}{2}}\cdot 3$$
$$= \frac{-6}{(3x-4)^{\frac{3}{2}}} \quad \cdots\cdots\ \text{(答)(エ)}$$

別解

$$\left(\frac{4}{\sqrt{3x-4}}\right)' = -\frac{4(\sqrt{3x-4})'}{(\sqrt{3x-4})^2}$$
$$= -\frac{4\cdot\dfrac{3}{2(\sqrt{3x-4})}}{(\sqrt{3x-4})^2}$$
$$= \frac{-6}{(3x-4)^{\frac{3}{2}}} \quad \cdots\cdots\ \text{(答)(エ)}$$

解説　合成関数の導関数を求める問題である.

微分法の基本的な内容であり, 十分に身についていると考えて, 期待正答率を 85% とした.

この問題の正答は（エ）であるが, （ウ）を選択した者も微分計算の基本を理解していると考えられる. 本問で用いられた合成関数の微分法は, 重要なことであり, 一層その意味と計算をていねいに指導し, いろいろな形の合成関数の微分を十分練習させたい. 別解のように, 商の微分公式を用いても同じ結果が得られることを知るのも大切である. 基本だからこそ, 多角的な視点での理解を重視したい.

III

数学Ⅲ：微　分　法

問題 B-7　関数 $f(x)$ について，「$f'(0) > 0$，$f'(1) < 0$ かつ $f''(x)$ は定義域のすべての x に対して負」という条件が与えられているとき，下のグラフの中で，この条件を満たすものはどれですか．

（ア）　（イ） 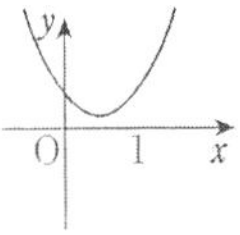　（ウ） 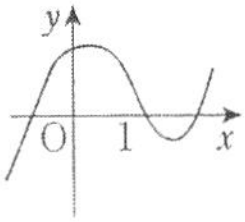　（エ） 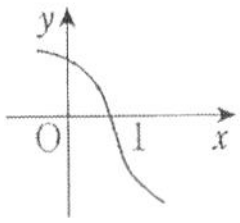　（オ）

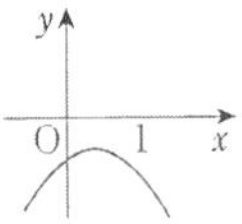

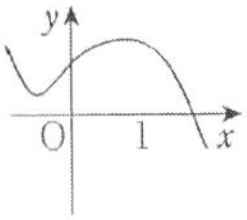

反応率

年度	ア	イ	ウ	エ	オ
22	57.5%	1.7%	10.0%	18.2%	12.2%
21	56.9%	2.0%	8.7%	21.7%	10.1%
20	54.3%	2.0%	11.1%	18.8%	13.0%
19	55.0%	1.8%	10.5%	20.5%	11.5%
18	52.6%	1.8%	10.3%	21.3%	13.2%

年度	正答率	自信率	誤答率	無答率	期待正答率	教師評価	SIMS
22	57.5%	29.5%	42.0%	0.5%	80%	51.8%	
21	56.9%	27.1%	42.6%	0.5%	80%	48.0%	
20	54.3%	27.8%	44.9%	0.8%	80%	48.4%	62.7%
19	55.0%	25.4%	44.2%	0.8%	80%	49.6%	
18	52.6%	25.1%	46.7%	0.7%	80%	48.2%	

解答例　$f'(0) > 0$ より, y 軸との交点における接線の傾きが正であり, 与えられたグラフのうち, この条件を満たすものは,（ア）と（ウ）と（オ）. これらはいずれも $x = 1$ における接線の傾きは負なので, $f'(1) < 0$ を満たすが,（ウ）と（オ）は曲線の凹凸が変化しており, $f''(x)$ の符号が変わる. すべての x について $f''(x) < 0$, すなわち上に凸であるものは（ア）である.　……（答）（ア）

参考　各グラフについて $f'(0)$, $f'(1)$, $f''(x)$ の符号は次のようになっている.（注：×は正, 負が変化するもの）

	（ア）	（イ）	（ウ）	（エ）	（オ）
$f'(0)$	+	−	+	−	+
$f'(1)$	−	+	−	−	−
$f''(x)$	−	+	×	×	×

解説　$f'(x)$, $f''(x)$ の符号から, グラフの概形をつかむ問題である.

導関数 $f'(x)$ や第2次導関数 $f''(x)$ の基本的な役割として, 増減, 凹凸を調べてグラフをかくことはよく行うことである. これら導関数, 第2次導関数の基本的な応用であり, 80% の正答を期待した.

（エ）を選んだ誤答が多いが,（エ）は「$f(0) > 0$, $f(1) < 0$ かつ $f'(x)$ は定義域のすべての x に対して負」を満たすので, 迷ったあげく条件を勝手に読みかえているのではないか, と思われる.

10年度から下降し続けていた正答率が, 16年度からもち直し, その傾向が続いている. しかし, 80% 以上の正答に向けて今一度, $f'(x)$, $f''(x)$ の正負などから $y = f(x)$ のグラフをかくこと, 逆に, $y = f(x)$ のグラフから $f'(x)$, $f''(x)$ の正負がわかることをしっかりと指導したい.

Ⅲ

数学Ⅲ：微　分　法

問題 C-5　関数 f のグラフ上で, $(a, 1)$ がグラフの変曲点になるとき, つぎのどれがつねに成り立ちますか.

(ア)　$f(a) = 0$　(イ)　$f'(a) = 0$　(ウ)　$f''(a) = 0$

(エ)　f は, $x = a$ で極大値か極小値をとる.

(オ)　f' は, $x = a$ で極小値をとる.

Ⅲ

反応率

年度	ア	イ	ウ	エ	オ
22	0.5%	13.0%	72.5%	11.4%	2.2%
21	1.2%	16.1%	70.0%	10.5%	2.0%
20	0.8%	16.6%	70.2%	10.0%	2.1%
19	0.5%	17.3%	70.8%	9.3%	1.8%
18	0.8%	14.7%	71.6%	9.8%	2.2%

年度	正答率	自信率	誤答率	無答率	期待正答率	教師評価	SIMS
22	72.5%	44.9%	27.1%	0.4%	85%	56.4%	64.3%
21	70.0%	41.6%	29.8%	0.2%	85%	58.1%	
20	70.2%	40.9%	29.4%	0.4%	85%	56.1%	
19	70.8%	43.8%	28.8%	0.4%	85%	64.0%	
18	71.6%	39.7%	27.4%	0.9%	85%	54.4%	

解答例　関数 $f(x)$ の変曲点の座標が $(a, 1)$ であるから, $x = a$ の前後で $f''(x)$ の符号が正から負, または負から正に変化する. したがって

$f''(a) = 0$　……（答）（ウ）

補足　変曲点は曲線の凹凸が切り変わる点であり, このとき接線の傾き（すなわち $f'(x)$ の値）の増減が変わる.

したがって, 関数 $f(x)$ の変曲点の座標が $(a, 1)$ であるとき, $x=a$ の前後で $f'(x)$ の値が増加から減少, または減少から増加に変化する. $x=a$ の前後で $f'(x)$ の値が増加から減少に変化する場合, $x \fallingdotseq a$ において $f'(x) < f'(a)$ であるから

$x \fallingdotseq a$, $x < a$ のとき, $\dfrac{f'(x)-f'(a)}{x-a} > 0$

よって, $f''(x) = \displaystyle\lim_{x \to a-0} \dfrac{f'(x)-f'(a)}{x-a} \geqq 0$　$\cdots\cdots$①

$x \fallingdotseq a$, $x > a$ のとき, $\dfrac{f'(x)-f'(a)}{x-a} < 0$

よって, $f''(x) = \displaystyle\lim_{x \to a+0} \dfrac{f'(x)-f'(a)}{x-a} \leqq 0$　$\cdots\cdots$②

①, ②より　$f''(a)=0$

$f'(x)$ の値が減少から増加に変化する場合も同様にして　$f''(a)=0$.

解説　変曲点の意味と性質を問う問題である.

(ア), (エ) を選択した者は変曲点の意味を理解しておらず, (イ) を選択した者は極値と変曲点を混同していると思われる. また, $f(x)$ は $x=a$ で微分可能であるため, (オ) は変曲点であるための十分条件になっているが, 必ずしも成り立つ訳ではなく, 極大値をとる場合もある.

なお, この問題は変曲点であるための必要条件を問う問題であり, $f''(a)=0$ であっても $x=a$ の点で必ずしも変曲点にならない. 例えば, $y=x^4$ のグラフ上の点 $(0, 0)$ では, 第 2 次導関数の値は 0 になるが, この点は変曲点ではない. また, 変曲点は微分可能であることを前提とした性質であるが, 極大・極小はそうでない. 本問では $(a, 1)$ が変曲点であるため, $f(x)$ は $x=a$ で微分可能なのである. また, $f(x)$ が $x=a$ で極大（または極小）であっても, $f'(a)=0$ とは限らない. 例えば $f(x)=|x|$ のとき, $f'(0)$ は存在しないが, $f(x)$ は $x=0$ で極小である.

いずれにしても極大・極小に比べ, 変曲点が問われる状況が少ないので機会があるごとに取り上げ定着させたい.

数学 III：微　分　法

問題 C-6　$f(x)=\dfrac{x}{(x-2)(x+2)}$ のとき，

関数 $f(x)$ のグラフは，つぎのどれですか．

（ア）　（イ） 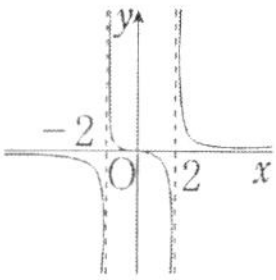　（ウ）

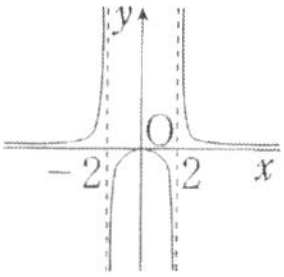

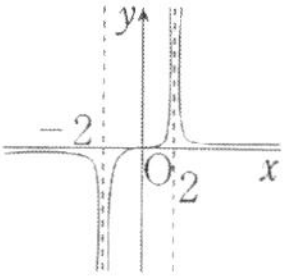

（エ） 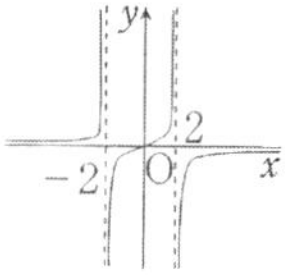　（オ）

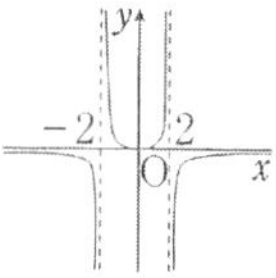

III

反応率

年度	ア	イ	ウ	エ	オ
22	9.9%	65.4%	12.6%	7.3%	3.5%
21	11.2%	66.2%	10.9%	7.3%	3.8%
20	11.5%	66.9%	10.1%	7.1%	2.7%
19	12.4%	66.5%	10.5%	5.9%	3.3%
18	14.7%	61.9%	11.1%	7.3%	3.9%

年度	正答率	自信率	誤答率	無答率	期待正答率	教師評価	SIMS
22	65.4%	38.7%	33.3%	1.3%	85%	44.9%	68.9%
21	66.2%	37.7%	33.2%	0.6%	85%	45.5%	
20	66.9%	38.6%	31.5%	1.6%	85%	45.0%	
19	66.5%	36.8%	32.1%	1.4%	85%	44.1%	
18	61.9%	35.1%	37.1%	1.0%	85%	43.9%	

解答例　選択肢に与えられているグラフはいずれも，直線 $y=0$ と $x=\pm 2$ が漸近線になっているが，その前後の符号が異なるので，$x\to\pm 2\pm 0$（複号任意）のときの $f(x)$ の極限を調べると，

$$\lim_{x\to -2-0} f(x)=-\infty,\quad \lim_{x\to -2+0} f(x)=+\infty$$

$$\lim_{x\to 2-0} f(x)=-\infty,\quad \lim_{x\to 2+0} f(x)=+\infty$$

これらをすべて満たすものを考えて，**（答）（イ）**

別解　$f(x)=\dfrac{x}{(x-2)(x+2)}=\dfrac{x}{x^2-4}$ を微分すると

$$f'(x)=\frac{1\cdot(x^2-4)-x\cdot 2x}{(x^2-4)^2}=-\frac{x^2+4}{(x^2-4)^2}<0$$

で減少関数であることがわかる．よって，選択肢のグラフの形で増加する箇所があるものは該当しない．

$x\neq\pm 2$ である任意の実数 x で $f(x)$ が減少しているのは（イ）のみ．

…… **（答）（イ）**

解説　2次分数関数のグラフの概形を求める問題である．

(分母)=0 となる $x=\pm 2$ のとき関数は定義されず，直線 $x=\pm 2$ が漸近線となる．選択肢にあるグラフはすべてこれを満たしているので，その前後での $f(x)$ の符号を調べればよい．このことは極限を用いなくとも，$x=\pm 1$，$x=\pm 3$ などのときの関数値でも判断できる．また，本問の関数 $f(x)$ では，$f(x)=-f(-x)$ が成り立つため，原点対称なグラフになる．したがって，選択肢は(イ),(ウ),(エ)に絞ることができる．

本問のような単純な分数関数のグラフは，導関数を用いなくとも具体的な数を代入するなどしてその概形をつかめるように，日頃から指導したい．

Ⅲ

数学Ⅲ：微　分　法

問題 D-6　$f(x)$ は偶関数で $x=0$ で微分可能であるとき，$f'(x)$ は，つぎのどの条件を満たしますか．

(ア)　$f'(0)=1$　　(イ)　$f'(0)>0$
(ウ)　$f'(0)<0$　　(エ)　$f'(0)=0$
(オ)　$f'(0)$ はどんな値でもとることができる．

Ⅲ

反応率

年度	ア	イ	ウ	エ	オ
22	4.4%	12.1%	2.4%	66.5%	13.7%
21	4.7%	9.6%	2.0%	65.7%	17.5%
20	3.8%	11.5%	2.6%	64.4%	17.4%
19	3.7%	13.0%	2.7%	62.0%	17.3%
18	4.8%	12.5%	2.9%	61.3%	17.2%

年度	正答率	自信率	誤答率	無答率	期待正答率	教師評価	SIMS
22	66.5%	20.5%	32.6%	0.9%	80%	40.8%	57.1%
21	65.7%	22.9%	33.8%	0.6%	80%	43.4%	
20	64.4%	22.9%	35.2%	0.4%	80%	39.6%	
19	62.0%	18.9%	36.8%	1.2%	80%	37.0%	
18	61.3%	18.3%	37.4%	1.3%	80%	39.2%	

解答例　$f(x)$ は $x=0$ で微分可能であるから

$$\lim_{h\to+0}\frac{f(h)-f(0)}{h}=\lim_{h\to-0}\frac{f(h)-f(0)}{h}\qquad\cdots\cdots(*)$$

が成り立つ．

いま, $\displaystyle\lim_{h\to+0}\frac{f(h)-f(0)}{h}=\alpha$ とおく.
(∗) 式の右辺において $-h=k$ と置換すると, $f(x)$ は偶関数だから
$f(-k)=f(k)$ より

$$(\ast\text{の右辺})=\lim_{k\to+0}\frac{f(-k)-f(0)}{-k}=-\lim_{k\to+0}\frac{f(k)-f(0)}{k}=-\alpha$$

となり, (∗) 式は $\alpha=-\alpha$. よって, $\alpha=0$
すなわち, $f'(0)=0$　……(答)（エ）

解説　偶関数・奇関数の性質は, 定積分を用いた求積によく使われる. この問題では, $f(x)$ が偶関数であることが重要な仮定なので, その定義を $f(-x)=f(x)$ を用いて解答例を示した.

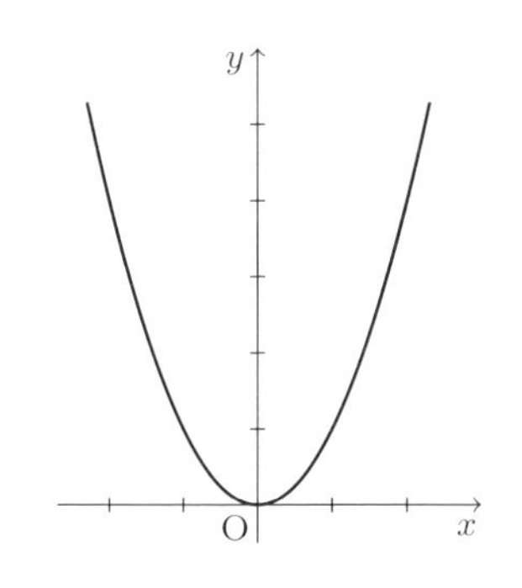

一方, 偶関数の典型的な例である関数 $f(x)=x^2$ を用いて考えると, $f'(x)=2x$ であるから, $f'(0)=0$ であり,　正答が（エ）であることが容易に推測できる. 具体例で考察することは重要である.

なお, 関数 $f(x)=x^2-2|x|$ は偶関数であるが, グラフは右の図のようになり, $x=0$ で微分可能ではない. この場合は,「$f'(0)$ は存在しない」が正答となる.

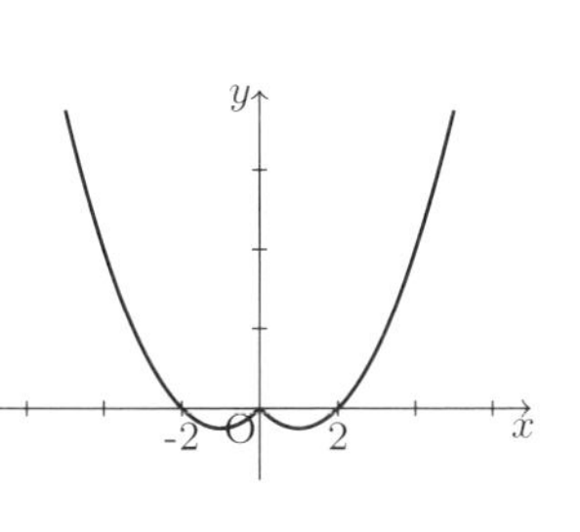

本問は男子の正答率が 67.6%, 女子の正答率が 63.8% と開きがある. 正答率の高い問題ではあるが, 男女の正答率に開きがあること, 自信度 (自信率/正答率) が 0.31 と低いことを念頭においた上で, このような概念や捉え方を指導する必要がある.

Ⅲ

数学Ⅲ：微　分　法

問題 D-10　R°C の水 x kg と S°C の水 y kg を混ぜると，この水の温度は

$$R\frac{x}{x+y}+S\frac{y}{x+y}$$

となるとします．

いま，容器 A に 50°C の水 10 kg が入っているとし，この容器 A に対してつぎの操作 P を行うものとします．

P: A に 30°C の水 1 kg を加え，十分混ぜ合わせ温度を均一にした後，A から水 1 kg を取り出し，別の容器に移す．

以下の問いに答えなさい．ただし，A の水の温度の変化は，この操作 P のみに依るものとします．

(1) m を 1 以上の整数とする．操作 P を続けて m 回行った後の A の水の温度を T_m とするとき，T_m を m を用いた式で表しなさい．

(2) 操作 P を繰り返して，A の水の温度が初めて 40°C 以下になるのは，操作 P を何回行ったときか答えなさい．ただし，log は自然対数として，$\log 2 = 0.6931$, $\log 5 = 1.6094$, $\log 11 = 2.3979$ とする．

年度	正答率	自信率	誤答率	無答率	期待正答率	教師評価
22	26.2%	10.8%	60.0%	13.7%	50%	22.5%

解答例　(1)　$S=30, T_0=50$ とおいて，

$$T_0\frac{10}{11}+S\frac{1}{11}=T_1,\ T_1\frac{10}{11}+S\frac{1}{11}=T_2,\ \cdots,\ T_{m-1}\frac{10}{11}+S\frac{1}{11}=T_m$$

より,

$$T_m - S = \frac{10}{11}(T_{m-1} - S) = \left(\frac{10}{11}\right)^m (T_0 - S) = \left(\frac{10}{11}\right)^m \cdot 20$$

$$\therefore \quad T_m = \left(\frac{10}{11}\right)^m \cdot 20 + 30$$

(2)　$T_m = 40$ とおくと,

$$\left(\frac{10}{11}\right)^m = \frac{1}{2}$$

$$\therefore \quad m = -\frac{\log 2}{\log 2 + \log 5 - \log 11} \fallingdotseq 7.2652$$

T_m は単調に減少するので, 8 回の操作で初めて 40°C を下回る.

解説　22 年度の新問題として出題した本問題は, 数学 III の記述問題である. 正答率は 26.2%, 男子正答率 28.9%, 女子正答率 19.6% であった. 期待正答率が 50%, 教師評価は 22.5% であり, 無答率が 13.7% であった. 作問側の想定よりも, 実際に指導されている先生の評価に近い正答率となった. 無答率は, 記述問題 12 題のうち特別に高いわけではないが, 正答率は全セット 44 題のうちで最も低かった. 受験生の答案を見ると, 正答にならない答案は, 問題文の設定を読み解き, 漸化式を立式すること自体が難しかったようである. 一方, 「自信あり」とマークをしていても正答にならない答案は, 漸化式を立式していても, 初期値 $T_0 - S$ の設定に誤りがあるものが多く, 問題文で与えられた数値を代入して機械的に解いているような印象もあり, 解く過程で一度立ち止まって適しているかどうかを確認する姿勢の育成も必要であると感じる. 今回は実施初年度であるため, 推移を継続して見ていきたい.

数学Ⅲ：積　分　法

問題 A-7　$\displaystyle\int_0^1 \frac{12x}{(2x^2+1)^2}\,dx$ の値は，つぎのどれですか．

(ア)　-2　　(イ)　-1　　(ウ)　2

(エ)　$\log 2$　　(オ)　$3\log 3$

反応率

年度	ア	イ	ウ	エ	オ
22	7.5%	7.9%	53.2%	11.7%	16.7%
21	7.7%	7.8%	53.4%	11.3%	16.2%
20	7.5%	6.3%	54.0%	12.5%	16.9%
19	7.3%	7.1%	51.1%	12.7%	17.7%
18	6.2%	7.8%	50.5%	12.9%	19.4%

年度	正答率	自信率	誤答率	無答率	期待正答率	教師評価	SIMS
22	53.2%	29.6%	43.7%	3.1%	50%	44.1%	42.3%
21	53.4%	26.1%	42.9%	3.7%	50%	45.3%	
20	54.0%	28.9%	43.1%	2.9%	50%	43.8%	
19	51.1%	24.2%	44.7%	4.2%	50%	42.7%	
18	50.5%	23.2%	46.4%	3.1%	50%	42.9%	

解答例　$2x^2+1=t$ とおくと　$4x\,dx=dt$

x	$0 \to 1$
t	$1 \to 3$

$$\int_0^1 \frac{12x}{(2x^2+1)^2}\,dx = 3\int_0^1 \frac{4x}{(2x^2+1)^2}\,dx$$

$$= 3\int_1^3 \frac{1}{t^2}\,dt = 3\Big[-t^{-1}\Big]_1^3$$

$$= 3\left(-\frac{1}{3}+1\right) = 2$$

……（答）（ウ）

解説　置換積分によって定積分の値を求める問題である．

積分は, 被積分関数によって求め方がさまざまであり, 置換積分についても, どのように置換するかは被積分関数によって変わる．

したがって, 被積分関数が少し複雑になると積分計算のできが急に悪くなる．

この問題では, $(2x^2+1)' = 4x$ であり, $12x = 3 \cdot 4x$ と書き換えることがポイントである．

今後も, 定積分の計算については, 典型的な問題の演習を行いながら,「どのように積分するのか」や「どのように置換するのか」など自分自身で考えられるように指導したい．

（ア）の誤答例：$3\int_1^3 \frac{1}{t^2}\,dt = 3\Big[-t^{-1}\Big]_1^3 = 3\left(\frac{1}{3}-1\right) = -2$

（オ）の誤答例：$3\int_1^3 \frac{1}{t^2}\,dt = 3\Big[\log t\Big]_1^3 = 3(\log 3 - \log 1) = 3\log 3$

（ア）,（オ）の誤答を上のようであるとすれば, 75% 以上の生徒が置換積分法の手順を正しく行っていることになる．

いずれにしても積分の基本は“微分の逆演算”すなわち“微分してそのようになる関数を求める”ことであり, 不安があったら微分して確認するような姿勢が大切であろう．

数学Ⅲ：積　分　法

問題 C-1　$\int \sqrt{x-1}\,dx$ はつぎのどれですか．

（ア）　$\frac{2}{3}(x-1)^{\frac{3}{2}}+C$　　（イ）　$\left(\frac{x^2}{2}-x\right)^{\frac{3}{2}}+C$

（ウ）　$\frac{1}{2}(x-1)+C$　　（エ）　$(x-1)^{\frac{3}{2}}+C$

（オ）　$\frac{1}{2\sqrt{x-1}}+C$

Ⅲ

反応率

年度	ア	イ	ウ	エ	オ
22	88.9%	2.1%	2.8%	1.6%	4.5%
21	89.0%	1.4%	1.6%	1.7%	6.0%
20	92.1%	1.4%	2.1%	1.2%	3.0%
19	88.2%	1.4%	2.1%	1.8%	6.2%
18	87.0%	2.2%	2.6%	1.3%	6.8%

年度	正答率	自信率	誤答率	無答率	期待正答率	教師評価	SIMS
22	88.9%	72.2%	11.1%	0.1%	90%	69.5%	75.4%
21	89.0%	71.5%	10.7%	0.3%	90%	68.4%	
20	92.1%	67.7%	7.8%	0.1%	90%	69.8%	
19	88.2%	67.1%	11.5%	0.3%	90%	68.8%	
18	87.0%	67.5%	12.8%	0.2%	90%	71.4%	

解答例　C を積分定数として,

$$\begin{aligned}\int \sqrt{x-1}\,dx &= \int (x-1)^{\frac{1}{2}}\,dx\\ &= \frac{1}{\frac{1}{2}+1}(x-1)^{\frac{1}{2}+1}+C\\ &= \frac{2}{3}(x-1)^{\frac{3}{2}}+C \quad \cdots\cdots \text{(答)(ア)}\end{aligned}$$

解説　不定積分を求める基本問題である. 数学 Ⅲ で最も基本的な不定積分

$$\alpha \neq -1 \text{ のとき} \quad \int x^{\alpha}\,dx = \frac{1}{\alpha+1}x^{\alpha+1}+C \quad (C \text{ は積分定数})$$

と $\sqrt{x}=x^{\frac{1}{2}}$ だけ知っていれば, 容易に計算できる. 自信率は7割を超え, 正答率は, 期待正答率に迫る結果であった.

この問題でよくある誤答は,

$$\begin{aligned}\int \sqrt{x-1}\,dx &= \int (x-1)^{\frac{1}{2}}\,dx\\ &= \left(\frac{1}{2}+1\right)(x-1)^{\frac{1}{2}+1}+C\\ &= \frac{3}{2}(x-1)^{\frac{3}{2}}+C\end{aligned}$$

のような逆数のとり忘れである.

また, 不定積分の計算では,

$$\begin{aligned}\left(\frac{2}{3}(x-1)^{\frac{3}{2}}\right)' &= \frac{2}{3}\cdot\frac{3}{2}(x-1)^{\frac{3}{2}-1}\\ &= (x-1)^{\frac{1}{2}}\\ &= \sqrt{x-1}\\ \Leftrightarrow \int \sqrt{x-1}\,dx &= \frac{2}{3}(x-1)^{\frac{3}{2}}+C\end{aligned}$$

のように, 結果を微分して検算できるので, 難易度の高い問題だけでなく, このような基本問題でも確認する習慣を生徒につけたい.

数学Ⅲ：積　分　法

問題 D-5　$\displaystyle\int_0^1 \frac{dx}{x^2-5x+6}$ の値はつぎのどれですか.

(ア)　$\dfrac{1}{2}\log_e 2$　　(イ)　$\dfrac{1}{3}$　　(ウ)　$\log_e \dfrac{4}{3}$

(エ)　$\tan^{-1}\dfrac{1}{4}$　　(オ)　$\dfrac{1}{2}$

Ⅲ

反応率

年度	ア	イ	ウ	エ	オ
22	11.3%	11.8%	67.2%	2.9%	4.3%
21	10.8%	9.7%	70.1%	2.4%	4.9%
20	10.5%	11.4%	70.3%	2.3%	4.3%
19	12.5%	10.4%	67.5%	2.7%	4.0%
18	13.8%	11.0%	64.0%	3.5%	5.3%

年度	正答率	自信率	誤答率	無答率	期待正答率	教師評価	SIMS
22	67.2%	39.4%	30.4%	2.4%	80%	47.4%	54.3%
21	70.1%	42.8%	27.8%	2.1%	80%	49.5%	
20	70.3%	42.0%	28.4%	1.3%	80%	49.1%	
19	67.5%	37.7%	29.6%	2.9%	80%	45.9%	
18	64.0%	35.0%	33.6%	2.4%	80%	46.3%	

解答例

$$\int_0^1 \frac{dx}{x^2-5x+6} = \int_0^1 \frac{1}{(x-2)(x-3)}dx = \int_0^1 \left(\frac{1}{x-3} - \frac{1}{x-2}\right)dx$$

$$= \Big[\log_e|x-3| - \log_e|x-2|\Big]_0^1$$

$$= \left[\log_e\left|\frac{x-3}{x-2}\right|\right]_0^1 = \log_e 2 - \log_e\frac{3}{2}$$

$$= \log_e\frac{2}{\frac{3}{2}} = \log_e\frac{4}{3} \quad \cdots\cdots \quad (ウ)$$

解説　x^α の不定積分について,

$$\alpha \neq -1 \text{ のとき}, \int x^\alpha\, dx = \frac{1}{\alpha+1} x^{\alpha+1} + C$$

$$\alpha = -1 \text{ のとき}, \int \frac{1}{x}\, dx = \log|x| + C$$

であること, 分数式の部分分数分解, 対数計算を理解していれば解ける標準的な出題である. 20年度・21年度は正答率が70%を超えていたが, 22年度はそれ以前と同程度の正答率となった. しかしながらSIMSや教師評価より高い値なので, このような定積分の計算に慣れている生徒が多いといえる.

反応率の高い誤答である（イ）については,

$$\int_0^1 \frac{dx}{x^2-5x+6} = \left[\frac{1}{x^2-5x+6}\right]_0^1 = \frac{1}{1-5+6} - \frac{1}{6} = \frac{1}{3}$$

のような計算の誤りと考えられ, 定積分の意味自体をまったく理解できていない生徒が一定数いることがうかがえる. この問題は学校間で正答率にばらつきの大きい問題の一つであり, 標準偏差が22.8であった. 部分分数については,

$$\frac{1}{(x-3)(x-2)} = \frac{a}{x-3} + \frac{b}{x-2}$$

となるような定数 a, b を求めて……, という誘導がある出題もあるが, うまくできる式を与えられたり, 部分分数のパターン学習に終始したりする学習では, 真の理解は得られない. 自分で分数式の和を作り, 試行錯誤しながら式変形が可能であるかを見定める経験が必要であり, そのためにも, 普段の授業で, 生徒が自由に考える機会を作ることが大切であろう. また, 代数的な定積分の計算だけでなく, 関数のグラフを描いて, 右の図の斜線部の面積を考えれば, その値が $\frac{1}{6}$ より大きく $\frac{1}{2}$ 未満の実数であることは容易にわかる. このような解の正当性の吟味も積極的に授業に取り入れ, 総合的・統合的な理解を育みたい.

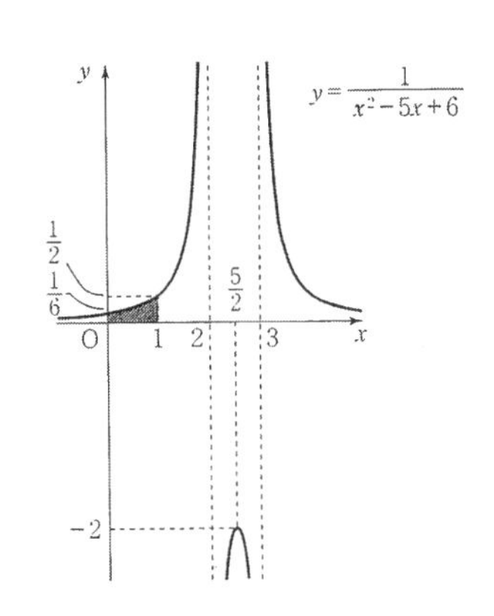

Ⅲ

数　学　問　題　(A)

1.　$a_1 = 1$, $a_{n+1} = a_n + 2n + 1$ で定義される数列の一般項 a_n は，つぎのどれですか。

(ア) $a_n = 4$　(イ) $a_n = 4n + 2$　(ウ) $a_n = 2n - 1$
(エ) $a_n = 2n + 2$　(オ) $a_n = n^2$

2.　右の図で，$PQ \perp OQ$ および $RS \perp OQ$ です。$OQ = OR = 1$, $\angle POQ = \alpha$ とすると，PQ は，つぎのどれですか。

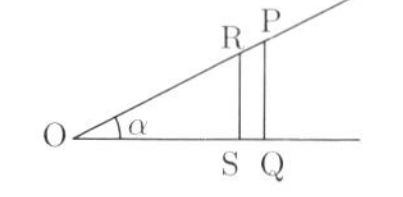

(ア) $\sin\alpha$　(イ) $\cos\alpha$　(ウ) $\tan\alpha$
(エ) $2\sin\alpha$　(オ) $1 - \cos\alpha$

3.　時刻 t $(t > 0)$ において，座標平面上の動点 $(x,\ y)$ が

$$\begin{cases} x = e^{-t} \\ y = \log(1 + 2t) \end{cases}$$

と表されるとき，時刻 t での速度ベクトルは，つぎのどれになりますか。

(ア) $\left(e^{-t},\ \log(1 + 2t)\right)$　(イ) $\left(e^{-t},\ \dfrac{1}{1 + 2t}\right)$　(ウ) $\left(-e^{-t},\ \dfrac{2}{1 + 2t}\right)$

(エ) $\left(-e^{-t},\ \dfrac{1}{1 + 2t}\right)$　(オ) $\left(-1,\ \dfrac{1}{t}\right)$

4.　複素数 z の絶対値は $\sqrt{2}$ で，偏角は $\dfrac{3\pi}{4}$ であるとき，z は，つぎのどれと等しいですか。

(ア) $\dfrac{i - 1}{\sqrt{2}}$　(イ) $i - 1$　(ウ) $\sqrt{2}(i - 1)$　(エ) $i + 1$　(オ) $\dfrac{i + 1}{\sqrt{2}}$

5.　2 つの独立した警報装置を備えた警報システムがあります。非常の際に各装置が作動する確率は，それぞれ 0.95, 0.90 です。非常の際に少なくとも 1 つの装置が作動する確率は，つぎのどれですか。

(ア) 0.995　(イ) 0.975　(ウ) 0.95
(エ) 0.90　(オ) 0.855

6.　関数 $y = 3x^3 + 6x^2 + kx + 9$ のグラフの変曲点における接線の傾きが 0 となるとすれば，k の値はつぎのどれですか。

(ア) 0　(イ) 1　(ウ) 2　(エ) 3　(オ) 4

7. $\displaystyle\int_0^1 \frac{12x}{(2x^2+1)^2}\,dx$ の値はつぎのどれですか。

(ア) -2　　(イ) -1　　(ウ) 2　　(エ) $\log 2$　　(オ) $3\log 3$

8. 直線 l の方程式は $ax+by=0$，直線 m の方程式は $px+qy+r=0$ $(r \neq 0)$ です。
l と m が点Pで交わるとき，方程式

$$(a+p)x+(b+q)y+r=0$$

の表す直線について，つぎのどれがあてはまりますか。ただし，O は原点とします。

(ア) l と m の両方に垂直である。　　(イ) l，m と二等辺三角形を作る。
(ウ) OP に平行である。　　(エ) O を通る。
(オ) P を通る。

9. 2つの変量 X，Y について，それぞれ n 個のデータの値が，

$$x_1,\ x_2,\ x_3,\ \cdots,\ x_n,\qquad y_1,\ y_2,\ y_3,\ \cdots,\ y_n,$$

であるとき，X と Y の共分散 s_{xy} は，$\overline{x}$ を X の平均値，$\overline{y}$ を Y の平均値として，$s_{xy}=\dfrac{1}{n}\displaystyle\sum_{i=1}^{n}(x_i-\overline{x})(y_i-\overline{y})$
で定義されます（n は正の整数）。新たな変量 Z のデータ $z_1,\ z_2,\ \cdots,\ z_n$ を，a，b を定数として，つぎの式

$$z_i = ax_i + b \quad (i = 1,\ 2,\ \cdots,\ n)$$

で定めるとき，Y と Z の共分散 s_{yz} は，X と Y の共分散 s_{xy} の何倍になるか求めなさい。

10. $0 \leqq x < 2\pi$ のとき，方程式 $\sin x+\tan x+\sin x\tan x+1=0$ をつぎのように解いたとします。

> $(\sin x+1)(\tan x+1)=0$
> $\sin x+1=0$　または　$\tan x+1=0$
> $0 \leqq x < 2\pi$ のとき　$\sin x=-1$ より $x=\dfrac{3\pi}{2}$
> 　　　　　　　　　　$\tan x=-1$ より $x=\dfrac{3\pi}{4},\ \dfrac{7\pi}{4}$
> すなわち　$x=\dfrac{3\pi}{4},\ \dfrac{3\pi}{2},\ \dfrac{7\pi}{4}$　$\cdots$（答）

上記の解答が正しければ「正しい」と書き，正しくなければその理由を説明し，さらに正答を出して下さい。

11. $\triangle$OAB において，$\overrightarrow{\mathrm{OA}}=\vec{a}$，$\overrightarrow{\mathrm{OB}}=\vec{b}$ とします。ベクトル $\overrightarrow{\mathrm{OP}}$ を

$$\overrightarrow{\mathrm{OP}}=x\vec{a}+y\vec{b}$$

と定めるとき，点 P は右図の斜線部および $\triangle$OAB の辺上を動くとします。実数 x，y の満たすべき条件を求めなさい。

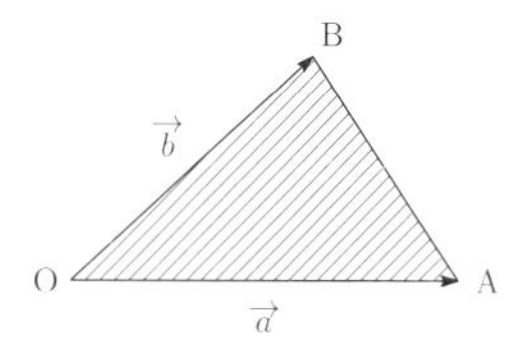

【以上】

数学問題（B）

1.　$10^a = 4$ のとき，10^{1+2a} の値は，つぎのどれですか。

（ア）26　（イ）40　（ウ）160　（エ）900　（オ）10^9

2.　関数 $y = 3x^2 - x^3$ のグラフをかくとき，この関数の極小値を示す点の座標は，つぎのどれですか。

（ア）(2, 4)　（イ）(3, 0)　（ウ）(1, 2)
（エ）(0, 3)　（オ）(0, 0)

3.　媒介変数表示による方程式 $x = t + \frac{1}{t}$，$y = t - \frac{1}{t}$ で表される曲線の x, y についての方程式は，つぎのどれですか。

（ア）$x + y = 1$　（イ）$x + y = 2$　（ウ）$x^2 + y^2 = 4$
（エ）$x^2 - y^2 = 4$　（オ）$2x^2 - y^2 = 4$

4.　商品を $x \times 10^3$ 個 $(0 < x < 5)$ 売ったときの利益 $y \times 10^3$ 円を予想するために，つぎの 2 つの関係式 A, B を考えました。

関係式 A：$y = 6x - x^2$，　関係式 B：$y = 2x$

関係式 A より関係式 B の方が，多くの利益をあげるような x の範囲は，つぎのどれですか。

（ア）$0 < x < 4$　（イ）$0 < x < 5$　（ウ）$3 < x < 5$
（エ）$3 < x < 4$　（オ）$4 < x < 5$

5.　放射性元素は，つぎの式に従って崩壊します。

$$y = y_0 \cdot e^{-k \cdot t}$$

ただし，y は t 日後に残っている元素の量，y_0 は $t = 0$ のときの y の値を示します。半減期（その元素の半分が崩壊するまでの時間）が 4 日である元素の定数 k の値は，つぎのどれですか。

（ア）$\frac{1}{4}\log_e 2$　（イ）$\log_e \frac{1}{2}$　（ウ）$\log_2 e$
（エ）$(\log_e 2)^{\frac{1}{4}}$　（オ）$2e^4$

6.　$\dfrac{4}{\sqrt{3x-4}}$ の導関数は，つぎのどれですか。

（ア）$12\sqrt{3x-4}$　（イ）$\dfrac{4}{\sqrt{3}}$　（ウ）$\dfrac{-2}{(3x-4)^{\frac{3}{2}}}$
（エ）$\dfrac{-6}{(3x-4)^{\frac{3}{2}}}$　（オ）$6\sqrt{3x-4}$

7.　関数 $f(x)$ について,「$f'(0) > 0$, $f'(1) < 0$ かつ $f''(x)$ は定義域のすべての x に対して負」という条件が与えられているとき，下のグラフの中で，この条件を満たすものはどれですか。

(ア)

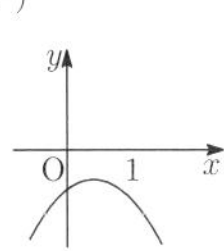

(イ)

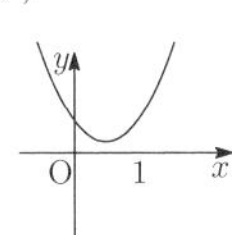

(ウ)

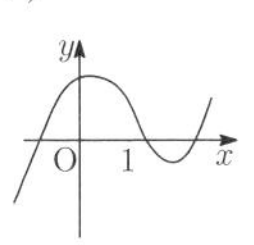

(エ)

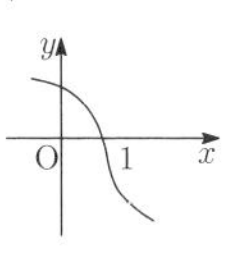

(オ)

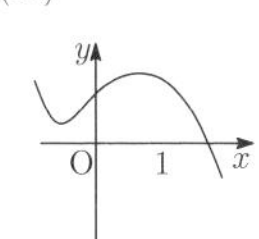

8.　座標平面上で，時刻 t における動点 M の座標 $(x,\ y)$ は,

$$\begin{cases} x = 2\sin t \\ y = 2\cos 2t - 1 \end{cases}$$

です。点 M の軌跡はつぎのどれですか。

(ア) 直線　　(イ) 半円　　(ウ) 半楕円　　(エ) 放物線　　(オ) うずまき線

9.　a を正の実数，n を 2 以上の自然数とするとき,

$$(1+a)^n > 1 + na$$

であることを証明しなさい。

10.　「2 つの事象が互いに排反である」とは何か，具体例を用いて説明しなさい。

11.　△OAB において，$\overrightarrow{OA} = \vec{a}$, $\overrightarrow{OB} = \vec{b}$ とします。実数 $x,\ y$ が,

$$0 \leqq x \leqq 1, \quad 0 \leqq y \leqq 1$$

の範囲を動くとき，$\overrightarrow{OP} = x\vec{a} + y\vec{b}$ を満たす点 P の存在する範囲を図示しなさい。

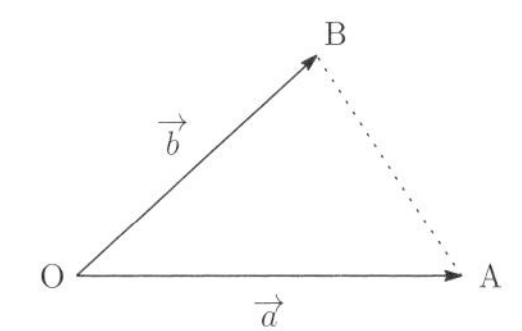

【以上】

数学問題（C）

1.　$\int \sqrt{x-1}\,dx$ はつぎのどれですか。

（ア）$\frac{2}{3}(x-1)^{\frac{3}{2}}+C$　　（イ）$\left(\frac{x^2}{2}-x\right)^{\frac{3}{2}}+C$　　（ウ）$\frac{1}{2}(x-1)+C$

（エ）$(x-1)^{\frac{3}{2}}+C$　　（オ）$\frac{1}{2\sqrt{x-1}}+C$

2.　$3f'(x)=x^2-5$ で，$f(2)=1$ のとき，$f(0)$ の値はつぎのどれですか。

（ア）$-\frac{5}{3}$　　（イ）$-\frac{2}{3}$　　（ウ）$\frac{1}{3}$

（エ）$\frac{25}{9}$　　（オ）$\frac{31}{9}$

3.　右のグラフにおいて，つぎのどの場合に $ax+b>cx^2$ となりますか。答えは，つぎの中から選びなさい。

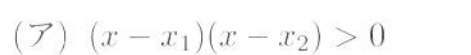

（ア）$(x-x_1)(x-x_2)>0$　　（イ）$(x-x_1)(x-x_2)<0$

（ウ）$0<x<x_1$　　（エ）$x>x_2$

（オ）（ア）〜（エ）のどれでもない。

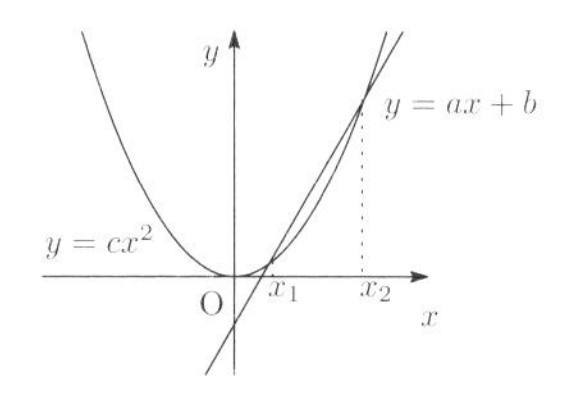

4.　無限等比級数 $1-\frac{1}{2}+\frac{1}{4}-\frac{1}{8}+\cdots$ の和は，つぎのどれですか。

（ア）$\frac{5}{8}$　　（イ）$\frac{2}{3}$　　（ウ）$\frac{3}{5}$　　（エ）$\frac{3}{2}$　　（オ）∞

5.　関数 f のグラフ上で，$(a,1)$ がグラフの変曲点になるとき，つぎのどれがつねに成り立ちますか。

（ア）$f(a)=0$　　（イ）$f'(a)=0$　　（ウ）$f''(a)=0$

（エ）f は，$x=a$ で極大値か極小値をとる。

（オ）f' は，$x=a$ で極小値をとる。

6.　$f(x)=\frac{x}{(x-2)(x+2)}$ のとき，関数 $f(x)$ のグラフは，つぎのどれですか。

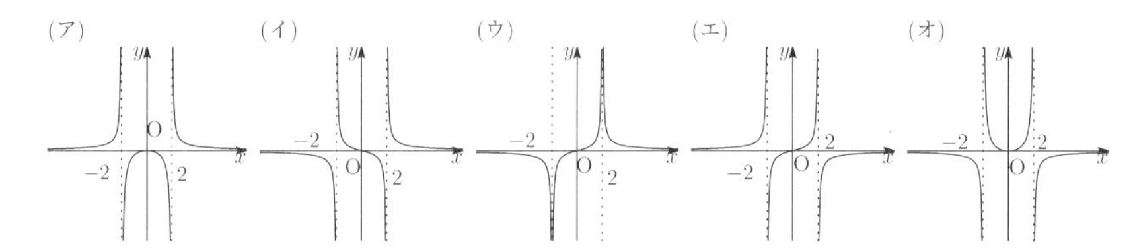

7.　円柱を右の図のように軸を通る平面で切ると，その切り口は長方形になります。この切り口の長方形の周囲が 6 m であるような円柱の中で，最大の体積を持つものの底面の半径は，つぎのどれですか。

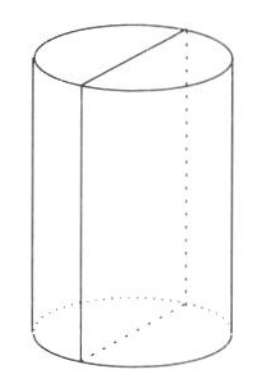

(ア) 2.5 m　(イ) 2 m　(ウ) 1.5 m　(エ) 1 m　(オ) 0.5 m

8.　n が自然数で，$5^{2n}+5^n$ が 13 で割り切れるとき，n はどのような数ですか。答えはつぎの中から選びなさい。

(ア) $n=2$ だけ
(イ) n は負でない偶数
(ウ) $n=8p+2$　(p は負でない整数)
(エ) $n=4p+2$　(p は負でない整数)
(オ) そのような n はない。

9.　$\triangle$ABC は，AB $=10$，AC $=15$，$\angle$BAC $=60^\circ$ を満たします。$\angle$BAC の 2 等分線と BC との交点を D とするとき，AD の長さを求めなさい。

10.　$\dfrac{3}{2}$，$\log_3 0.6$，$\log_3 4$，$\log_4 3$ の大小関係を調べ，小さい順に並べなさい。

11.　平行四辺形 OACB において，$\overrightarrow{\mathrm{OA}}=\vec{a}$，$\overrightarrow{\mathrm{OB}}=\vec{b}$ とします。ベクトル $\overrightarrow{\mathrm{OP}}$ を

$$\overrightarrow{\mathrm{OP}}=x\vec{a}+y\vec{b}$$

と定めるとき，点 P は右図の斜線部およびその周囲を動くとします。実数 x，y の満たすべき条件を求めなさい。

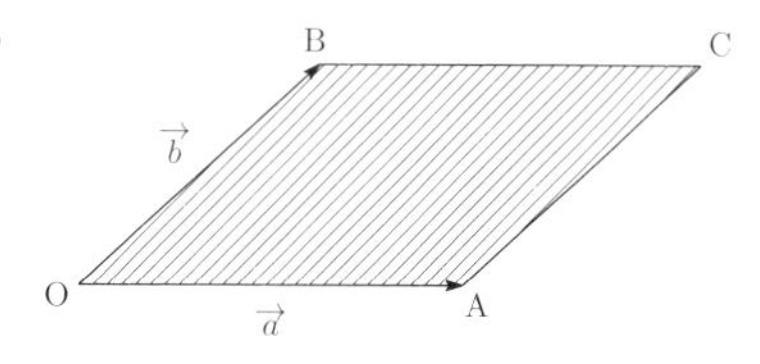

【以上】

数学問題 (D)

1.　記号 $P \cap Q$ は，2 つの集合 P と Q の交わり (共通部分) を表し，記号 $P \cup Q$ は，2 つの集合 P と Q の結び (和集合) を表します。右の図の斜線部分は，つぎのどれですか。

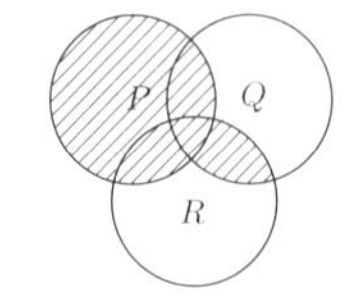

(ア) $(P \cap Q) \cup R$　　(イ) $P \cup (Q \cap R)$　　(ウ) $P \cap (Q \cup R)$
(エ) $(P \cap Q) \cap R$　　(オ) $(P \cup Q) \cap R$

2.　$z = \cos\dfrac{\pi}{6} + i\sin\dfrac{\pi}{6}$ のとき，z^3 はつぎのどれですか。

(ア) 0　　(イ) 1　　(ウ) i　　(エ) $\dfrac{3\sqrt{3}}{8} + \dfrac{i}{8}$　　(オ) $\dfrac{3\sqrt{3}}{8} - \dfrac{i}{8}$

3.　平面上に 3 点 Q$(-3, -1)$，R$(-2, 3)$，S$(1, -3)$ があるとき，$\overrightarrow{\mathrm{ST}} = 2\overrightarrow{\mathrm{QR}}$ となる点 T の y 座標は，つぎのどれですか。

(ア) -11　　(イ) -7　　(ウ) -1　　(エ) 1　　(オ) 5

資料

4.　θ は，90° と 180° の間の角で，$\cos^2\theta = \dfrac{16}{25}$ です。$\sin 2\theta$ の値は，つぎのどれですか。

(ア) $-\dfrac{24}{25}$　　(イ) $-\dfrac{15}{25}$　　(ウ) $-\dfrac{7}{25}$
(エ) $\dfrac{7}{25}$　　(オ) $\dfrac{24}{25}$

5.　$\displaystyle\int_0^1 \frac{dx}{x^2 - 5x + 6}$ の値はつぎのどれですか。

(ア) $\dfrac{1}{2}\log_e 2$　　(イ) $\dfrac{1}{3}$　　(ウ) $\log_e \dfrac{4}{3}$
(エ) $\tan^{-1}\dfrac{1}{4}$　　(オ) $\dfrac{1}{2}$

6.　$f(x)$ は偶関数で $x = 0$ で微分可能であるとき，$f'(x)$ は，つぎのどの条件を満たしますか。

(ア) $f'(0) = 1$　　(イ) $f'(0) > 0$　　(ウ) $f'(0) < 0$
(エ) $f'(0) = 0$　　(オ) $f'(0)$ はどんな値でもとることができる。

7.　ある母集団の平均は 5 で，標準偏差は 1 である。この母集団の各要素に 10 を加えたとき，平均と標準偏差はつぎのどれになりますか。

(ア)　平均 15，標準偏差 1　　(イ)　平均 15，標準偏差 5　　(ウ)　平均 15，標準偏差 11
(エ)　平均 10，標準偏差 1　　(オ)　平均 10，標準偏差 5

8.　x, y は正の実数で，$y = 4x^3$ とします。$\log y$ を x 座標，$\log x$ を y 座標とする点の集合は，つぎのどれになりますか。

(ア) 1 点　　(イ) 3 次曲線　　(ウ) 放物線
(エ) 直線　　(オ) 指数関数の表す曲線

9.　つぎの極限値の計算が正しければ解答欄に「正しい」と記入し，正しくなければ右端にある行の番号を利用しながらその理由を説明し，さらに正答を出して下さい。

$$\lim_{x\to-\infty}\left(\sqrt{x^2+2x+3}+x\right) \quad \cdots\cdots ①$$

$$=\lim_{x\to-\infty}\frac{\left(\sqrt{x^2+2x+3}+x\right)\left(\sqrt{x^2+2x+3}-x\right)}{\sqrt{x^2+2x+3}-x} \quad \cdots\cdots ②$$

$$=\lim_{x\to-\infty}\frac{2x+3}{\sqrt{x^2+2x+3}-x} \quad \cdots\cdots ③$$

$$=\lim_{x\to-\infty}\frac{2+\dfrac{3}{x}}{\sqrt{1+\dfrac{2}{x}+\dfrac{3}{x^2}}-1} \quad \cdots\cdots ④$$

$$=-\infty \quad \cdots\cdots ⑤$$

10.　R °C の水 x kg と S °C の水 y kg を混ぜると，この水の温度は

$$R\frac{x}{x+y}+S\frac{y}{x+y}$$

となるものとします。

いま，容器 A に 50 °C の水 10 kg が入っているとし，この容器 A に対してつぎの操作 P を行うものとします。

P：A に 30 °C の水 1 kg を加え，十分混ぜ合わせ温度を均一にした後，A から水 1 kg を取り出し，別の容器に移す。

以下の問いに答えなさい。ただし，A の水の温度の変化は，この操作 P のみに依るものとします。

(1) m を 1 以上の整数とする。操作 P を続けて m 回行った後の A の水の温度を T_m とするとき，T_m を m を用いた式で表しなさい。

(2) 操作 P を繰り返して，A の水の温度が初めて 40 °C 以下になるのは，操作 P を何回行ったときかを答えなさい。ただし，log は自然対数として，$\log 2 = 0.6931, \log 5 = 1.6094, \log 11 = 2.3979$ とする。

11.　△OAB において，$\overrightarrow{\mathrm{OA}} = \vec{a}$，$\overrightarrow{\mathrm{OB}} = \vec{b}$ とします。実数 x，y が，

$$0 \leqq x+y \leqq 1, \quad x \geqq 0, \quad y \geqq 0$$

の範囲を動くとき，$\overrightarrow{\mathrm{OP}} = x\vec{a} + y\vec{b}$ を満たす点 P の存在する範囲を図示しなさい。

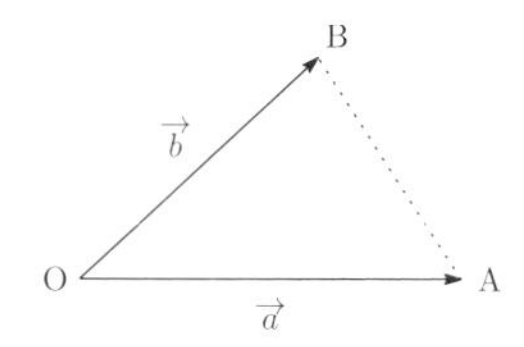

【以上】

資料Ⅱ　問題別，内容・正答率などの統計量

テストA　22年度

問題	科目	内容	正答率	自信率	誤答率	無答率	期待正答率	教師評価	21年成績	20年成績	19年成績
A1	数B	数列	85.1	66.7	14.3	0.5	90	64.3	85.2	84.1	84.6
A2	数Ⅰ	三角比	80.1	58.4	19.6	0.4	90	68.2	81.8	81.0	79.5
A3	数Ⅲ	微分法	71.8	40.1	27.2	1.0	75	49.7	72.4	67.5	73.0
A4	数Ⅲ	複素数平面	70.1	49.8	28.8	1.1	80	58.5	72.2	71.2	70.9
A5	数A	場合の数と確率	72.0	49.3	27.6	0.4	80	53.4	73.2	70.3	68.4
A6	数Ⅲ	微分法	69.1	44.4	30.0	0.8	80	56.7	67.9	65.2	65.3
A7	数Ⅲ	積分法	53.2	29.6	43.7	3.1	50	44.1	53.4	54.0	51.1
A8	数Ⅱ	図形と方程式	48.3	16.9	49.8	1.9	75	37.6	50.7	49.2	43.8
A9	数Ⅰ	データの分析	29.5	14.9	39.3	31.2	70	29.2	38.4	35.0	25.6
A10	数Ⅱ	三角関数	35.6	14.6	56.2	8.2	70	40.2	38.0	35.3	25.4
A11	数B	ベクトル	30.7	11.1	50.5	18.8	70	43.8	32.4	16.6	−
		平均	58.7	36.0	35.2	6.1	75.5	49.6	60.5	57.2	58.8

資料

テストB　22年度

問題	科目	内容	正答率	自信率	誤答率	無答率	期待正答率	教師評価	21年成績	20年成績	19年成績
B1	数Ⅱ	指数･対数関数	82.8	61.2	16.8	0.3	85	66.2	82.5	84.5	83.1
B2	数Ⅱ	微分・積分	82.9	63.5	16.8	0.2	90	75.3	81.0	84.7	82.0
B3	数Ⅲ	平面上の曲線	76.8	47.6	21.8	1.3	80	52.8	72.5	73.6	71.7
B4	数Ⅰ	二次関数	74.2	47.9	25.7	0.2	85	50.8	71.7	70.2	68.8
B5	数Ⅲ	微分法	62.0	30.9	36.9	1.1	60	34.5	69.1	60.3	62.9
B6	数Ⅲ	微分法	67.3	43.2	31.9	0.8	85	61.4	66.5	69.0	68.7
B7	数Ⅲ	微分法	57.5	29.5	42.0	0.5	80	51.8	56.9	54.3	55.0
B8	数Ⅲ	平面上の曲線	54.0	27.7	44.9	1.1	70	44.7	50.1	50.9	53.4
B9	数B	数列	55.5	22.7	33.8	10.7	60	33.1	38.7	34.0	38.4
B10	数A	場合の数と確率	37.0	9.2	42.9	20.1	70	36.8	31.8	29.8	30.3
B11	数B	ベクトル	34.9	14.2	50.5	14.6	80	45.2	39.7	30.0	−
		平均	62.3	36.2	33.1	4.6	76.8	50.2	60.0	58.3	61.4

（注）自信率：受験者の中で，正答かつ「自信あり」と回答したものの割合（%），
また，問題9，10，11の正答率は，準正答を加えたもの．

問題	18年成績	17年成績	16年成績	15年成績	14年成績	13年成績	12年成績	11年成績	10年成績	09年成績	08年成績	07年成績	06年成績	05年成績	SIMS
A1	84.6	85.1	82.2	80.9	81.7	85.1	83.5	84.5	82.7	81.5	77.9	79.9	84.8	87.6	67.4
A2	80.2	81.7	77.3	77.8	78.2	76.3	78.5	77.1	80.2	82.8	76.8	79.4	78.7	85.9	74.6
A3	73.7	62.8	70.4	71.2	66.9	62.0	67.9	67.2	68.1	66.0	65.0	58.9	67.9	−	58.6
A4	69.5	74.0	67.4	67.6	62.8	−	−	−	−	−	−	−	−	−	16.2
A5	69.8	70.6	63.7	66.4	65.3	62.9	62.5	62.7	63.8	65.9	63.0	61.8	63.2	68.5	55.5
A6	67.6	67.2	64.8	61.1	60.8	63.5	64.3	63.2	66.7	59.5	62.2	63.2	66.9	72.9	55.3
A7	50.5	50.3	50.6	48.4	48.0	46.7	49.6	48.2	52.8	51.2	44.9	45.4	50.0	51.4	42.3
A8	46.6	48.3	46.5	41.7	45.3	52.7	42.1	43.4	53.3	45.6	48.2	50.7	46.1	−	44.8
A9	28.7	28.2	−	−	−	−	−	−	−	−	−	−	−	−	−
A10	−	−	−	−	−	−	−	−	−	−	−	−	−	−	−
A11	−	−	−	−	−	−	−	−	−	−	−	−	−	−	−
平均	63.5	63.1	65.4	64.4	63.6	64.2	64.1	63.8	66.8	64.6	62.6	62.8	65.4	73.3	51.8

問題	18年成績	17年成績	16年成績	15年成績	14年成績	13年成績	12年成績	11年成績	10年成績	09年成績	08年成績	07年成績	06年成績	05年成績	SIMS
B1	87.0	83.0	78.9	80.8	83.0	79.4	82.4	81.8	85.6	82.3	80.5	79.8	−	−	75.0
B2	82.0	83.8	81.4	80.6	79.8	80.8	82.2	80.8	82.5	81.3	81.6	83.4	82.1	−	73.8
B3	75.8	76.7	72.1	71.6	71.4	66.3	73.6	71.4	71.4	69.1	66.5	69.8	71.0	75.9	66.2
B4	65.8	69.0	65.8	65.4	67.1	72.0	66.1	67.1	63.5	64.7	71.5	−	−	−	61.8
B5	60.2	63.3	60.2	59.9	63.4	57.6	58.1	56.7	54.7	60.1	57.8	56.8	60.7	63.2	58.0
B6	65.2	63.2	60.8	61.9	58.0	59.9	62.8	63.6	68.7	65.4	65.3	59.2	64.7	68.6	56.8
B7	52.6	53.8	53.0	49.7	49.9	48.4	49.1	51.5	53.1	54.1	−	−	−	−	62.7
B8	50.2	52.6	50.9	49.5	52.6	49.6	50.9	52.3	46.7	56.7	55.1	52.4	56.3	62.4	43.8
B9	37.1	−	−	−	−	−	−	−	−	−	−	−	−	−	−
B10	35.2	35.1	−	−	−	−	−	−	−	−	−	−	−	−	−
B11	−	−	−	−	−	−	−	−	−	−	−	−	−	−	−
平均	61.1	64.5	65.4	64.9	65.6	64.3	65.6	65.6	65.8	66.7	68.3	66.9	67.0	67.5	62.3

（注）**期待正答率**：問題作成時の作成委員会による予想正答率.
教師評価：各校の教師による予想正答率.

テストC　22年度

問題	科目	内容	正答率	自信率	誤答率	無答率	期待正答率	教師評価	21年成績	20年成績	19年成績
C1	数Ⅲ	積分法	88.9	72.2	11.1	0.1	90	69.5	89.0	92.1	88.2
C2	数Ⅱ	微分・積分	74.9	59.6	23.9	1.2	85	65.9	78.3	76.3	78.9
C3	数Ⅰ	二次関数	69.6	42.0	29.4	1.0	80	51.0	68.2	72.3	69.7
C4	数Ⅲ	関数の極限	70.3	40.8	29.1	0.6	90	55.6	71.5	68.8	68.2
C5	数Ⅲ	微分法	72.5	44.9	27.1	0.4	85	56.4	70.0	70.2	70.8
C6	数Ⅲ	微分法	65.4	38.7	33.3	1.3	85	44.9	66.2	66.9	66.5
C7	数Ⅱ	微分・積分	55.7	33.2	43.2	1.1	75	42.1	59.2	55.8	54.9
C8	数A	整数の性質	37.1	13.8	60.5	2.3	50	32.1	36.4	38.6	37.9
C9	数Ⅰ	三角比	48.8	26.0	45.8	5.4	70	53.6	53.2	45.2	－
C10	数Ⅱ	指数・対数関数	51.6	18.4	40.4	8.0	50	45.7	10.6	42.4	15.6
C11	数B	ベクトル	50.5	15.5	30.0	19.5	70	39.5	55.9	60.4	－
		平均	62.3	36.8	34.0	3.7	75.5	50.6	59.9	62.6	61.2

資料

テストD　22年度

問題	科目	内容	正答率	自信率	誤答率	無答率	期待正答率	教師評価	21年成績	20年成績	19年成績
D1	数Ⅰ	集合と論理	92.8	68.4	6.9	0.2	90	66.1	93.5	94.7	93.4
D2	数Ⅲ	複素数平面	80.6	59.9	19.0	0.4	80	65.4	80.3	79.9	82.4
D3	数B	ベクトル	78.9	58.7	20.6	0.6	90	64.9	81.3	79.7	79.7
D4	数Ⅱ	三角関数	69.2	54.6	30.1	0.7	75	63.0	71.3	69.7	70.4
D5	数Ⅲ	積分法	67.2	39.4	30.4	2.4	80	47.4	70.1	70.3	67.5
D6	数Ⅲ	微分法	66.5	20.5	32.6	0.9	80	40.8	65.7	64.4	62.0
D7	数Ⅰ	データの分析	69.6	23.6	29.0	1.4	80	38.7	65.0	72.2	68.9
D8	数Ⅱ	指数・対数関数	31.6	12.3	66.7	1.7	60	34.8	34.3	35.8	32.2
D9	数Ⅲ	関数の極限	41.7	18.8	55.4	2.9	50	35.9	41.7	－	39.9
D10	数Ⅲ	微分法	26.2	10.8	60.0	13.7	50	22.5	－	－	－
D11	数B	ベクトル	42.0	16.2	37.3	20.7	80	47.0	41.0	47.5	－
		平均	60.6	34.8	35.3	4.2	74.1	47.9	64.4	68.2	66.3

（注）自信率：受験者の中で，正答かつ「自信あり」と回答したものの割合（%），
また，問題9，10，11の正答率は，準正答を加えたもの．

問題	18年成績	17年成績	16年成績	15年成績	14年成績	13年成績	12年成績	11年成績	10年成績	09年成績	08年成績	07年成績	06年成績	05年成績	SIMS
C1	87.0	88.9	89.3	86.3	86.4	−	−	−	−	−	−	−	−	−	75.4
C2	75.0	74.5	76.5	72.3	74.6	76.5	74.5	74.4	78.8	74.7	71.1	72.5	−	−	68.1
C3	71.9	69.6	67.9	68.7	64.9	70.6	70.1	64.7	69.4	68.4	68.4	68.2	62.4	71.3	58.6
C4	64.9	68.8	66.1	66.0	66.6	65.7	67.1	65.2	69.7	68.5	62.6	65.3	68.1	72.3	55.8
C5	71.6	69.7	71.2	69.6	65.6	68.4	68.7	72.2	70.1	65.9	73.5	71.7	70.9	−	64.3
C6	61.9	66.5	62.9	62.3	64.3	64.4	62.6	67.3	−	−	−	−	−	−	68.9
C7	56.7	57.1	51.7	57.7	55.8	52.2	50.8	52.6	−	−	−	−	−	−	55.0
C8	36.3	34.5	33.3	35.9	37.2	32.7	30.0	31.9	30.8	34.3	33.1	32.6	31.1	−	30.1
C9	46.9	37.7	35.3	31.1	35.0	35.2	40.2	40.8	32.8	41.3	32.7	33.2	−	−	−
C10	54.0	54.9	36.2	46.2	49.3	26.5	41.0	42.3	37.0	45.6	−	−	−	−	−
C11	−	−	−	−	−	−	−	−	−	−	−	−	−	−	−
平均	62.6	62.2	59.0	59.6	60.0	54.7	56.1	56.8	55.5	57.0	56.9	57.3	58.1	71.8	59.5

問題	18年成績	17年成績	16年成績	15年成績	14年成績	13年成績	12年成績	11年成績	10年成績	09年成績	08年成績	07年成績	06年成績	05年成績	SIMS
D1	94.1	92.5	93.6	−	−	−	−	−	−	−	−	−	−	−	94.7
D2	82.0	81.1	78.2	75.1	75.2	66.4	−	−	−	−	−	−	−	−	62.9
D3	77.5	79.1	75.9	77.4	73.5	73.0	76.1	70.6	71.9	74.2	70.5	72.4	−	−	74.0
D4	69.5	70.2	70.4	63.2	63.5	69.8	68.2	66.6	67.6	70.4	65.0	67.5	71.0	74.2	50.0
D5	64.0	67.9	−	−	−	−	−	−	−	−	−	−	−	−	54.3
D6	61.3	61.5	64.4	60.8	58.1	58.0	58.8	60.3	60.5	59.7	−	−	−	−	57.1
D7	66.3	63.9	62.6	57.9	57.5	−	−	−	−	−	−	−	−	−	53.1
D8	35.1	33.7	28.1	29.1	31.8	29.0	29.4	26.1	31.4	33.8	34.2	30.4	31.8	36.4	38.1
D9	−	−	−	−	−	−	−	−	−	−	−	−	−	−	−
D10	−	−	−	−	−	−	−	−	−	−	−	−	−	−	−
D11	−	−	−	−	−	−	−	−	−	−	−	−	−	−	−
平均	68.7	68.7	67.6	60.6	59.9	59.2	58.1	55.9	57.9	59.5	56.6	56.8	51.4	55.3	60.5

（注）**期待正答率**：問題作成時の作成委員会による予想正答率．

教師評価：各校の教師による予想正答率．

資料Ⅲ　問題別・学校間成績分布

学校平均	テストA										
区間	A1	A2	A3	A4	A5	A6	A7	A8	A9	A10	A11
0％	0	0	0	0	0	0	1	0	5	4	5
0～	0	0	0	0	0	0	0	1	7	2	6
10～	0	0	1	1	1	2	4	0	15	4	14
20～	0	1	1	4	3	4	3	10	10	16	11
30～	0	1	2	4	2	3	10	9	12	14	10
40～	1	3	3	4	2	7	13	14	11	12	10
50～	3	3	9	10	11	12	11	23	4	11	9
60～	9	12	15	8	16	5	14	7	4	5	2
70～	7	12	14	11	4	11	8	2	0	1	2
80～	14	17	16	13	12	12	3	2	1	0	0
90～	15	13	4	8	14	9	1	0	0	0	0
100％	20	7	4	6	4	4	1	1	0	0	0
学校数	69	69	69	69	69	69	69	69	69	69	69
平　均	85.8	78.6	70.3	68.9	71.3	67.2	52.1	47.6	28.3	35.1	29.9
標準偏差	14.51	17.03	17.94	22.09	21.20	22.90	19.73	16.51	18.27	17.50	18.86
最小値	44.4	29.2	17.2	12.5	10.3	14.3	0.0	8.3	0.0	0.0	0.0
最大値	100.0	100.0	100.0	100.0	100.0	100.0	100.0	100.0	80.0	73.3	72.7

（注）71校のうち２校（生徒数12名以下）は学校間分析から削除された．

学校平均	テストB										
区間	B1	B2	B3	B4	B5	B6	B7	B8	B9	B10	B11
0％	0	0	0	0	1	0	0	0	1	2	4
0～	0	0	0	0	0	0	0	1	0	3	3
10～	0	0	0	0	1	1	2	3	3	6	14
20～	0	0	0	1	6	2	4	6	7	15	11
30～	1	0	0	1	2	4	8	5	9	19	15
40～	1	0	1	1	6	5	13	12	4	10	4
50～	3	2	10	3	14	9	11	12	11	6	7
60～	7	10	13	18	14	13	12	13	16	5	5
70～	16	15	9	22	11	18	11	7	12	1	3
80～	19	21	22	16	7	11	7	8	5	1	3
90～	13	11	7	5	3	2	1	0	0	1	0
100％	9	10	7	2	4	4	0	2	1	0	0
学校数	69	69	69	69	69	69	69	69	69	69	69
平　均	81.5	82.8	76.9	73.6	61.5	66.6	55.4	54.0	54.4	35.8	34.2
標準偏差	14.52	12.78	14.97	14.09	21.89	18.78	18.53	20.52	20.89	18.48	21.68
最小値	33.3	54.5	45.5	20.0	0.0	18.2	15.4	9.1	0.0	0.0	0.0
最大値	100.0	100.0	100.0	100.0	100.0	100.0	93.3	100.0	100.0	90.0	80.0

（注）71校のうち２校（生徒数12名以下）は学校間分析から削除された．

学校平均	テストC										
区間	C1	C2	C3	C4	C5	C6	C7	C8	C9	C10	C11
0％	0	0	0	0	0	0	1	2	1	0	1
0～	0	0	0	1	0	0	1	3	2	0	0
10～	0	0	1	0	0	0	0	4	3	2	3
20～	0	1	0	2	3	1	2	14	8	3	10
30～	0	2	2	3	2	4	7	17	11	14	14
40～	2	4	5	3	3	7	19	14	8	11	7
50～	0	8	13	14	9	15	12	8	13	17	9
60～	4	12	16	8	14	16	15	3	12	10	8
70～	8	11	14	14	11	15	7	2	8	7	10
80～	15	15	10	11	15	10	3	2	3	4	4
90～	23	9	6	8	8	1	1	0	0	0	0
100%	17	7	2	5	4	0	1	0	0	1	3
学校数	69	69	69	69	69	69	69	69	69	69	69
平　均	88.4	74.0	67.4	69.8	71.1	63.3	54.0	36.6	48.2	51.6	49.3
標準偏差	12.07	18.87	16.97	20.26	18.77	14.97	18.27	18.02	20.80	17.27	23.12
最小値	45.5	24.0	12.5	6.7	26.7	25.0	0.0	0.0	0.0	12.5	0.0
最大値	100.0	100.0	100.0	100.0	100.0	90.0	100.0	87.5	85.7	100.0	100.0

（注）71校のうち２校（生徒数12名以下）は学校間分析から削除された．

学校平均	テストD										
区間	D1	D2	D3	D4	D5	D6	D7	D8	D9	D10	D11
0％	0	0	0	0	0	0	0	4	3	11	3
0～	0	0	0	0	0	0	0	2	5	7	3
10～	0	0	0	0	1	1	0	14	5	13	5
20～	0	0	0	0	3	2	0	15	8	13	17
30～	0	1	1	3	9	2	2	15	8	7	10
40～	0	2	1	5	2	5	2	7	13	13	7
50～	1	7	3	8	11	10	15	7	12	3	7
60～	0	6	11	22	10	15	14	3	10	1	9
70～	5	13	18	12	12	21	13	1	3	0	5
80～	15	17	20	12	9	9	16	1	1	1	2
90～	24	11	8	3	5	1	3	0	0	0	0
100%	24	12	7	4	7	3	4	0	1	0	1
学校数	69	69	69	69	69	69	69	69	69	69	69
平　均	92.5	80.4	79.2	69.0	66.2	66.0	70.1	30.8	41.0	24.0	40.2
標準偏差	8.57	16.83	13.81	16.32	22.82	17.68	15.93	18.26	21.50	18.68	23.21
最小値	55.6	33.3	36.4	31.8	12.5	16.7	33.3	0.0	0.0	0.0	0.0
最大値	100.0	100.0	100.0	100.0	100.0	100.0	100.0	84.6	100.0	84.6	100.0

（注）71校のうち２校（生徒数12名以下）は学校間分析から削除された．

問題作成・評価協力者名簿

大浦　宏樹（おおうら　ひろき）
東京理科大学教育支援機構・教職教育センター准教授，（併）数学教育研究所

岡田　憲治（おかだ　けんじ）
芝中学校高等学校教諭，東京理科大学数学教育研究会庶務部部長，
日本数学教育学会実践研究推進部（高等学校）幹事，日本数学教育学会代議員

荻野　大吾（おぎの　だいご）
元東京都立日比谷高等学校教諭，日本数学教育学会実践研究推進部（高等学校）副部長，
東京理科大学数学教育研究会編集部顧問

金森　千春（かなもり　ちはる）
芝浦工業大学附属中学高等学校教諭，東京理科大学数学教育研究会編集部部長

小林　徹也（こばやし　てつや）
茨城県立竜ヶ崎第一高等学校・附属中学校教諭，日本数学教育学会編集部常任幹事，
東京理科大学数学教育研究会研究部顧問

眞田　克典（さなだ　かつのり）
東京理科大学教育支援機構・教職教育センター長，（併）数学教育研究所所長

澤田　利夫（さわだ　としお）
東京理科大学名誉教授，東京理科大学数学教育研究会名誉会長，日本数学教育学会名誉会長

清水　克彦（しみず　かつひこ）
東京理科大学理学部第一部数学科教授，
（併）数学教育研究所・理数教育研究センター数学教育研究部門

下川　朝有（しもかわ　あさなお）
東京理科大学理学部第二部数学科准教授，（併）数学教育研究所

須田　　学（すだ　まなぶ）
筑波大学附属駒場中・高等学校教諭，東京理科大学講師，
東京理科大学数学教育研究会研究部部長，東京都高等学校数学教育研究会常任理事，
日本数学教育学会実践研究部常任幹事・代議員

新井田和人（にいだ　かずと）
慶應義塾高等学校教諭

半田　　真（はんだ　まこと）
東京女学館中学校・高等学校教諭，東京理科大学理学部講師，城西大学理学部講師，
大東文化大学法学部講師，東京理科大学数学教育研究会庶務部顧問，
日本数学教育学会総務部常任幹事

牧下　英世（まきした　ひでよ）
芝浦工業大学工学部教授，東京理科大学数学教育研究会研究部顧問，
日本数学教育学会数学意識調査委員会委員，東京都高等学校数学教育研究会理事

渡邉　博史（わたなべ　ひろし）
東京理科大学数学教育研究所研究補助員，前株式会社NTTデータCCS
ビジネスソリューション事業本部・科学環境システム事業部担当部長

渡辺　雄貴（わたなべ　ゆうき）
東京理科大学教育支援機構・教職教育センター教授，（併）数学教育研究所

（2023年（令和５年）６月１日現在，五十音順）

高校生の数学力NOW XVIII ―2022年基礎学力調査報告―

2023年10月20日　初版　第1刷発行

編著者　東京理科大学数学教育研究所
（代表）眞 田 克 典

発行者　面　屋　　洋

発　行　科学新興新社

発　売　フォーラム・A
〒530-0056　大阪市北区兎我野町15-13
TEL　06（6365）5606
FAX　06（6365）5607
振替　00970-3-127184

制作編集担当・蒔田司郎・河嶋紀之

表紙デザイン・ウエナカデザイン事務所

印刷・㈱関西共同印刷所／製本・㈱髙廣製本

ISBN978-4-86708-109-9 C0041